365
PRIERES
D'ENFANTS

365
PRIERES
D'ENFANTS

Sator - Rouge et Or

Publié premièrement en langue anglaise
par Lion Publishing sous le titre *365 Children's Prayers*
compilé par Carol Watson

© 1989 Lion Publishing

© Edition française 1989 Les Editions Sator

Deuxième édition française, 1991
Adaptation française: Sylvette Rat

Publié en langue française par Les Editions Sator
11 Route de Pontoise
95540 Méry-sur-Oise
ISBN (Sator): 2-7350-0269-1

Coéditeur: Rouge et Or
8, rue Garancière
75006 Paris
ISBN (Rouge et Or): 2-261-02950-0

Diffusion en Belgique:
La Centrale Biblique
222 Rue de Birmingham
1070 Bruxelles

Dépôt légal: janvier 1991
Imprimé en Yougoslavie

TABLE DES MATIERES

INTRODUCTION

T'arrive-t-il de prier? Quand on prie, on parle à Dieu. Il nous écoute et il nous répond. Est-ce que tu parles à Dieu? Tout le monde peut prier Dieu, car Dieu entend les prières de chacun. Il aime entendre nos prières. Dieu veut qu'on lui parle tous les jours, comme à un ami, et il est toujours prêt à nous écouter.

Mais que dire dans nos prières? Comment parler à cet ami qu'on ne voit pas? Ce livre veut t'aider à prier. Il contient 365 prières, une pour chaque jour de l'année! La plupart de ces prières ont été prononcées spontanément par des enfants d'aujourd'hui de tous les pays. D'autres ont été écrites pour les enfants il y a très longtemps. Certaines prières sont tirées de la Bible et d'autres enfin ont été écrites par des chrétiens connus, qui vivent aujourd'hui.

Toutes ces prières sont regroupées ici par thèmes. Les premières parlent de la maison, de l'école, de la vie de tous les jours. Celles qui viennent ensuite sont consacrées aux sujets de l'actualité, à ceux qui nous entourent, et à tout ce que nous découvrons en nous-mêmes, comme la colère ou la jalousie, mais aussi l'amour et la gentillesse et bien d'autres sentiments. Les prières connues se trouvent à côté des prières d'enfants et le nom de leurs auteurs est donné à la fin du livre. Un index de tous les sujets de prière se trouve aussi à la fin du livre. Tu peux t'en servir chaque fois que tu veux prier pour un sujet qui te préoccupe, et trouver une prière qui t'aidera à parler à Dieu.

Il y a plusieurs sortes de prières. Tu peux, par la prière, remercier Dieu pour la beauté de la nature, et pour tout ce qu'il fait pour toi. Tu peux aussi le prier pour lui demander d'aider quelqu'un que tu aimes. Nous avons souvent besoin de demander pardon à Dieu, de lui confier nos soucis et nos peurs. Les prières de ce livre peuvent te servir de modèle; tu peux les dire et même en apprendre certaines par coeur. Mais tu peux aussi faire tes propres prières. Les plus belles prières sont souvent celles que nous prononçons spontanément, dans la joie ou dans la tristesse.

Ces prières ont été recueillies pour toi. Lis-les avec tes parents et tes amis en pensant à eux, mais aussi aux enfants de la terre, à ceux qui souffrent et qui sont malheureux comme à ceux qui vivent dans la joie: tu découvriras en parlant à Dieu combien il t'aime et combien il est proche de toi. Tu pourras toi-même, par la prière, être plus proche de lui.

Ce Monde Où Nous Vivons

Moi

Seigneur... tu me connais et tu vois tout ce que je fais.
Psaume 139.1-2

1 O Dieu,
tu sais tout sur moi;
tu sais ce que je ressens quand je suis heureux ou
triste;
tu sais ce que je dis quand je suis gentil ou
désagréable;
tu sais ce que je fais quand je suis sage ou méchant.
O Dieu,
merci parce que tu sais tout sur moi
et que tu m'aimes quand même.

2 Rends-moi pur, Seigneur: car tu es parfait.
Rends-moi doux, Seigneur: car tu as été humble.

3 Merci, ô Dieu, de m'avoir fait.
Merci de m'avoir fait comme je suis.
Merci pour ce que je sais faire...
et pour ce que je fais moins bien.
Merci pour tous mes amis,
mais surtout, merci de m'avoir fait pour toi.
Amen

4 Tu sais ce que je pense, Seigneur;
mais tu sais aussi ce qui est le mieux pour moi.
Alors, quoi qu'il arrive, apprends-moi à te faire plaisir.
Amen

5 Que Dieu soit dans ma tête,
Et dans mon esprit;
Que Dieu soit dans mes yeux,
Et dans mon regard;
Que Dieu soit dans ma bouche,
Et dans mes paroles;
Que Dieu soit dans mon coeur,
Et dans ma pensée;
Que Dieu soit à mon dernier jour,
Et à l'heure de mon départ.

6 Seigneur,
tu sais que je ne suis pas parfait. Même quand on est
chrétien, on n'est jamais vraiment parfait.
Alors, aide-moi s'il te plaît.
Amen

7 Jésus avec moi,
Jésus en moi,
Jésus derrière moi,
Jésus devant moi,
Jésus à côté de moi,
Jésus pour me consoler,
Jésus en-dessous de moi,
Jésus au-dessus de moi,
Jésus dans la paix et
Jésus dans le danger,
Jésus dans le coeur de
tous ceux qui m'aiment,
Jésus dans la bouche de
l'ami et de l'étranger.

8 **S**eigneur, merci parce que tu m'as créé.
Merci pour tout ce que je peux faire:
Merci parce que je peux courir, sauter et jouer,
Merci parce que je peux écouter ce que tu me dis.
Merci parce que quoi que je fasse, tu m'aimes
toujours.

9 **O** Dieu, donne-moi la paix.
Aide-moi à prendre les choses calmement.
Aide-moi à ne pas m'affoler quand tout va mal.
Aide-moi à ne pas me faire de soucis, mais à prendre
les choses comme elles viennent, chaque jour.
Aide-moi à ne pas m'angoisser et à garder mon
sang-froid quand j'ai quelque chose d'important à
faire.
Aide-moi à ne pas m'énerver même dans des
situations difficiles ou face à des gens impossibles.
Garde-moi calme: alors, je resterai paisible et les
autres pourront venir s'appuyer sur moi dans les
difficultés.
Je te le demande au nom de Jésus. Amen

10 **M**erci, Seigneur, parce que, même si je ne suis pas
parfait, et si j'ai des défauts, rien, ni personne, ne
peut changer le fait que tu m'aimes - comme je suis.

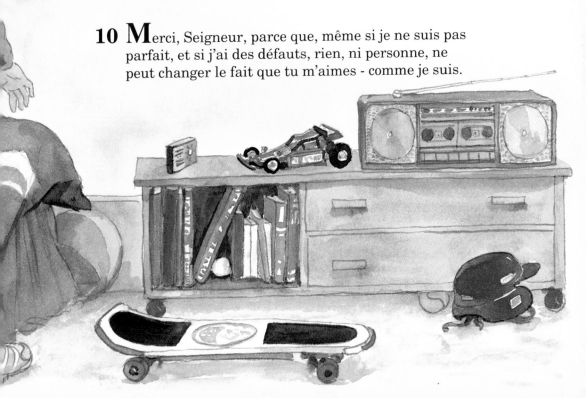

Voilà le matin!

C'est à toi que j'adresse ma prière, dès le matin, Seigneur.
Psaume 5.3

11 Seigneur, sois avec nous en ce jour:
En nous, pour nous purifier;
Au-dessus de nous pour nous élever;
En-dessous de nous pour nous soutenir;
Devant nous pour nous conduire;
Derrière nous pour nous pousser;
Autour de nous pour nous protéger.

12 Un jour nouveau va commencer,
j'ai bien dormi et je vais me lever...
Mais, hier soir, je t'ai promis, Seigneur
de ne plus jamais me fâcher et me battre...
C'est facile d'être parfait
lorsque l'on dort à poings fermés!
Mais pour toi, Seigneur, parce que je t'aime,
j'essaierai de tenir ma promesse - même éveillé.

13 Père, avant de commencer cette journée,
je veux te demander de nous aider.
Je t'en prie: aide Papa et Maman au travail,
et aide-moi à l'école;
aide aussi toute ma famille à la maison
et tous mes autres parents et amis.
Amen

14 Père,
merci de nous avoir protégés
pendant cette nuit.
Merci pour cette nouvelle journée et pour la santé
que tu nous donnes.
Seigneur, reste avec nous tout au long de la journée:
pendant le travail, les repas et les jeux.
Remplis-nous de ton amour pour tous ceux qui nous
entourent.
Amen

15 Pour la lumière de ce nouveau matin,
Pour le repos de cette nuit passée,
Pour les amis, la santé et le pain,
Pour tous les dons de ta grande bonté,
Seigneur, nous te disons merci.

16 Que ce jour, ô Seigneur, ajoute
une connaissance nouvelle ou
un nouveau bienfait au jour d'hier.

17 Ton amour fidèle n'a pas de fin,
ô Seigneur,
Tes bontés ne cessent jamais;
Elles se renouvellent chaque matin;
Que ta fidélité est grande!

18 Nous nous remettons entre tes mains, en ce jour,
ô Seigneur. Donne à chacun de nous un esprit ouvert,
humble et appliqué afin que nous puissions
rechercher toujours ta volonté. Et quand nous
connaîtrons ta volonté, aide-nous à l'accomplir
joyeusement, par Jésus-Christ notre Seigneur.

19 O Dieu, aide-moi aujourd'hui à ne pas m'énerver
quand les choses m'exaspèrent;
à ne pas m'impatienter même quand tout ne
s'arrange pas du premier coup;
à ne pas me décourager même quand j'ai du mal à
comprendre ou à apprendre;
à ne pas céder lorsque je suis tenté de mal agir.
Aide-moi à vivre ce jour pour que je n'aie rien à
regretter lorsque j'irai au lit ce soir.
Ecoute ma prière pour l'amour de Jésus.
Amen

20 En ce jour, dirige, contrôle et inspire
Tous mes projets, mes actions, mes paroles.
Que toutes mes facultés oeuvrent ensemble avec force
Au service de ta seule gloire.

Nos familles

Honore ton père et ta mère...
Exode 20.12

21 **M**erci, notre Père du Ciel, de nous avoir fait entrer dans ta famille. C'est si bon de savoir que nous t'appartenons, à toi et à ceux qui sont devenus nos frères et nos soeurs. Apprends-nous aussi à nous préoccuper de ceux de ta famille qui vivent dans des pays où il n'y a presque rien à manger. Aide-nous à partager ce que nous avons avec eux comme avec des membres de notre famille.
Au nom de Jésus.
Amen

22 **O** Dieu,
prends soin de tous ceux de ma famille.
Protège-les du danger - garde-les en bonne santé
et donne-leur ta paix.
Amen

23 **S**eigneur,
prends bien soin de tatie
parce qu'elle va avoir un bébé.

24 **O** Dieu,
Papa travaille beaucoup.
Quelquefois, il doit travailler la nuit et
nous ne le voyons presque plus.
Aide-moi à lui rendre la vie plus facile
en étant sage quand il est là.
Amen

25 **S**eigneur,
tu sais que de temps en temps
ça ne va pas très bien
entre Maman et moi.
Il y a des moments où
elle ne me comprend pas
et où je ne la comprends pas.
Mais aujourd'hui,
elle a été si gentille,
elle n'a même pas eu besoin de crier.
Merci, Seigneur.

26 **S**eigneur,
aujourd'hui, Maman revient de la clinique
avec notre petit bébé.
Il est vraiment tout petit et crie beaucoup. S'il te
plaît, aide-le à grandir vite pour que je puisse
bientôt jouer avec lui.

27 Seigneur Jésus,
Papa est parti.
Je ne sais pas où il est.
Il me manque, Seigneur, et il manque à Maman.
Parfois, elle pleure le soir quand elle croit
que nous dormons.
Seigneur, protège-le, là où il est et aime-le.
Aime aussi Maman, plus fort que d'habitude
parce que ces temps-ci, elle en a vraiment besoin.
Amen

28 S'il te plaît, Seigneur, protège tous les enfants qui
n'ont pas de maman ou de papa - et ceux qui n'ont
peut-être même plus de famille du tout.
Tu sais ce qu'ils ressentent et à quel point ils ont
besoin d'amour.
Père, aime-nous tous, mais aime encore plus fort ces
enfants-là en ce moment. Calme leurs souffrances. Au
nom de Jésus.
Amen

29 Seigneur Jésus,
parfois, j'ai l'impression que personne ne m'écoute.
Papa travaille, Maman est occupée, tout le monde a
quelque chose à faire. Il n'y a personne pour écouter
vraiment ce que je dis. Sauf toi, Seigneur. Toi, tu es
toujours là. Merci.
Amen

30 Merci, Seigneur, de m'avoir donné grand-maman et
grand-papa. Veille sur eux, maintenant qu'ils
deviennent vieux.

31 Notre Père du Ciel, pardonne-nous de troubler la
paix de la maison en nous mettant en colère ou en
nous chamaillant. Aide-nous à trouver ce qu'il faut
dire pour réparer le mal que nous avons fait.
Pardonne-nous quand nous nous disputons trop.
Aide-nous à avoir plus souvent le sourire. Aide-nous
aussi à pardonner aux autres et aide les autres à
nous pardonner.
Par Jésus-Christ notre Seigneur.
Amen

32 Seigneur, aujourd'hui je te prie pour Maman:
donne-lui la force d'aller jusqu'au bout de la journée
malgré sa fatigue.

33 Jésus, quand tu souffrais beaucoup sur la croix,
Tu as quand même pensé à ta maman, Marie.
Aide-moi s'il te plaît à penser à Maman.

Chez nous

Jésus entra pour rester avec eux.
Luc 24.29

34 Visite nos maisons, Seigneur, nous t'en supplions, et
éloigne d'elles tous les pièges de l'ennemi: que tes
saints anges demeurent au milieu de nous pour nous
garder dans la paix et que ta bénédiction soit sur
nous pour toujours; par Jésus-Christ notre Seigneur.

35 Seigneur,
je sais qu'il y a beaucoup de gens qui sont
malheureux dans leur maison. Merci parce que nous,
nous avons une maison heureuse.

36 Merci, Seigneur,
de m'avoir donné une maison où on est si bien, et une
famille si gentille. Je n'ai besoin de rien d'autre... sauf
de ton amour, mais je l'ai déjà.
Merci beaucoup, Seigneur.
Amen

37 Tous les enfants qui n'ont pas de lit pour dormir et
qui n'ont pas autant à manger que nous;
tous les enfants qui n'ont personne pour les aider et
qui n'ont pas de petit coin tranquille
ou de jouets pour s'amuser;
les enfants qui doivent quitter leur maison
et partir loin de leur père et de leur mère - je te prie -
ô Dieu, protège-les!
Envoie quelqu'un à leur secours et permets qu'ils
retrouvent leur maison.

38 Seigneur, merci parce que tu nous gardes bien à l'abri dans nos maisons.

Merci pour nos voisins et pour les amis qui habitent tout près et qui nous aident quand nous avons des problèmes. Merci de nous donner tout ce dont nous avons besoin.

Amen

39 Notre Père du Ciel,
tu sais qu'il existe des maisons où il n'y a pas
beaucoup de bonheur ni d'amour. Parfois, il y a des
bagarres, des cris et des disputes. Il y a même des fois
où on aurait honte de le dire à quelqu'un.
Seigneur, tu connais tous nos soucis, tous nos
chagrins. Aide-nous à te dire ce qui nous fait de la
peine et à être sûrs que, quoi qu'il arrive, tu es
toujours là et tu nous aimes toujours.

40 Jésus,
je te remercie pour ma maison: parce que, quand c'est
l'hiver, on est bien au chaud à l'intérieur.
Amen

41 Cher Seigneur,
merci de m'avoir amené dans ce home d'enfants.
Avant, je ne te connaissais pas et je me battais
toujours. Je prenais des choses qui n'étaient pas à
moi, j'étais paresseux.
Maintenant, je suis heureux.
Merci Seigneur.

42 Seigneur Jésus,
quand tu es venu dans le monde, tu n'avais pas de
maison. Tu dormais dans une mangeoire et tu étais
dans une étable. Aide-nous à penser à tous ceux qui,
dans ce pays et dans le monde entier, n'ont pas de
maison aujourd'hui encore. Aide-nous à réfléchir à ce
que nous pouvons faire pour eux. Rends-nous plus
sensibles.
Amen

43 Père,
protège tous les enfants qui ont peur chez eux - peur
de quelqu'un qui leur fait du mal. Aide-les à se
rappeler que tu sais tout et que tu les aimes.
Donne-leur le courage d'aller parler à quelqu'un qui
pourra les aider.
Que ton amour les touche et qu'il calme leur
souffrance. Au nom de Jésus.
Amen

A table

Rendez grâces au Seigneur... qui donne à manger à toutes les créatures.
Psaume 136.1,25

44 **S**eigneur, je te remercie pour la nourriture de
chaque jour. Merci pour les fermiers, les
commerçants, les cuisiniers qui nous les procurent;
Merci pour mes plats préférés;
Aide-moi à penser à ceux qui n'ont pas assez à
manger.
Amen

45 **B**éni sois-tu, ô Seigneur notre Dieu, Roi de l'univers,
toi qui tires le pain de la terre.

46 Père,
nous te prions pour ceux qui vivent dans des pays où
règnent la famine et la misère. Seigneur, il y a des
enfants qui ne savent pas ce que c'est que de prendre
de vrais repas comme les nôtres. Et rien ne changera
pour eux... à moins que ceux d'entre nous qui ont de
l'argent et à manger ne viennent à leur secours. S'il
te plaît, Seigneur Jésus, donne-nous plus d'amour et
de générosité, aide-nous à réfléchir à ce que nous
pouvons faire pour ceux qui ont faim et donne-nous la
volonté de le faire.
Au nom de Jésus. Amen

47 Mon Dieu, je te remercie pour tout ce
que tu me donnes.
C'est toi qui fais pousser le riz,
les haricots, le blé,
les fruits et les légumes.
Je te remercie pour la nourriture
qui est sur notre table.
Merci beaucoup, Seigneur.

48 Seigneur, j'ai un problème: je suis trop gourmand. Je
ne peux pas m'empêcher de manger du chocolat et des
sucreries. Pourtant, je sais que ça m'abîme les dents,
que ça me donne des boutons et que la gourmandise
est une faute. S'il te plaît, aide-moi à résister à ce qui
est mauvais pour moi.
Amen

49 Seigneur Jésus, je le regrette vraiment mais je pense
trop à la nourriture. Je passe mon temps à rêver à
toutes les bonnes choses qui sont à manger au lieu de
faire ce que j'ai à faire. Aide-moi, s'il te plaît, à ne pas
accorder trop d'importance à la nourriture et à ne pas
manger gloutonnement aux repas.
Amen

50 Pour les glaces à l'eau aux couleurs si gaies
Qui rafraîchissent tant quand il fait chaud l'été;
Pour les glaces à la crème et au lait
Qu'on lèche tout doucement pour les faire durer;
Pour les bonbons et les gâteaux,
Qui donnent envie, rien que d'en parler;
Pour les glaces du p'tit kiosque blanc
Et pour celles de la camionnette du marchand,
Pour le choix qu'il faut faire:
Vanille, fraise, chocolat, une boule ou deux?
Merci, Seigneur; toi qui, avec la chaleur, nous fait
cadeau de tous ces p'tits bonheurs.

51 O Dieu,
s'il te plaît, aide tous les malheureux du monde qui ne
peuvent pas manger à leur faim.

52 Seigneur,
merci de nous donner chaque jour de bonnes choses à
manger. Aide-nous à apprécier ce que nous avons et à
ne pas gaspiller.
Amen

53 Fruits, noix et baies
Dans les vergers et les haies,
Légumes et blés dorés:
Tout pour nous, tout pour manger.

Nourriture en quantité
Ramassée et stockée...
Pourtant, dans des pays lointains
Beaucoup d'enfants meurent de faim.

Au marché, les mères font leur choix:
Peut-être ces beaux avocats
Ou ces canards bien gras
Pour un repas de gala?

Sur le sol éthiopien
Il ne pousse presque rien
Une mère tient au creux de sa main
Toute la nourriture du lendemain.

Permets, Seigneur, que plus jamais
Dans ces terribles pays de la faim,
Une mère se demande, angoissée,
Si elle pourra nourrir son enfant demain.

Nos amis

Certaines amitiés ne durent pas, mais certains amis sont plus fidèles que des frères.
Proverbes 18.24

54 Nous te louons, ô Dieu, parce que tu
nous aimes:
Tu es le meilleur de tous les amis,
Seigneur.
Tu ne nous abandonnes jamais et tu
pardonnes
toutes nos mauvaises actions;
tu es toujours là dans les moments
difficiles.
Nous voudrions être toujours plus comme
toi.
Amen

55 Merci, ô Dieu, pour nos amis: parce qu'ils nous
aiment et que nous sommes si heureux ensemble.
Aide-nous à nous occuper les uns des autres comme
toi tu t'occupes de nous.
Amen

56 O Dieu, je déteste me battre avec mes amis mais parfois je suis tellement en colère que je leur donnerais bien un coup de poing dans la figure.
Par exemple, quand ils cassent mes jouets ou qu'ils ne veulent pas me laisser jouer avec eux.
Aide-moi à me souvenir que tu les aimes et aide-moi à les aimer aussi,
même quand ils sont méchants avec moi.

57 Seigneur,
mon amie n'arrête pas de me demander de faire des choses que je ne veux pas faire et je n'arrive pas à lui dire "non". Aide-moi, s'il te plaît, à dire plutôt "non" quand il le faut.

58 Quand tu étais sur la terre, Jésus, tu avais des amis préférés. Tu as pu être heureux avec eux, mais tu as aussi été abandonné. S'il te plaît, veille sur mes amis. Aide-moi à être un véritable ami.
Amen

59 O Dieu,
apprends-moi ce qu'est l'amitié
pour que je puisse être un véritable ami
pour celui qui aura besoin de moi:
quelqu'un qui se sent rejeté
ou qui est tout seul...
Comme Jésus, qui a été l'ami de Matthieu
et de Zachée que personne n'aimait.
Aide-moi à être comme Jésus:
un ami pour celui qui aura besoin de moi.

60 Seigneur Jésus, pardon parce qu'aujourd'hui j'ai été jaloux et que je me suis mis en colère. J'ai dit des paroles méchantes et cruelles. Aide-moi à demander pardon et à réparer le mal que j'ai fait.

61 Seigneur,
sois auprès de ceux qui sont seuls et qui n'ont pas d'amis.
Aide-nous à parler à ceux que nous trouvons pénibles, bizarres ou trop timides. Que notre amitié les aide à venir vers toi et à te connaître, toi et ton amour.
Amen

62 Aide-moi, ô Dieu, à être pour mes amis un véritable
ami: à leur être toujours fidèle et à ne jamais les
laisser tomber; à ne jamais dire sur eux, derrière leur
dos, des choses que je ne dirais pas s'ils étaient là: à
ne jamais trahir leur confiance ou répéter un secret; à
être toujours prêt à partager tout ce que j'ai; à être
aussi fidèle envers eux que je voudrais qu'ils le soient
envers moi. Je te demande tout cela au nom de celui
qui est le plus grand et le plus fidèle de tous les amis:
au nom de Jésus.
Amen

63 Jésus,
mon amie a déménagé la semaine
dernière.
Elle est partie vivre loin d'ici avec son
papa et sa maman. Elle me manque
beaucoup et je lui manque aussi.
Aide-nous à nous refaire bien vite de
nouvelles amies pour que nous ne soyons
plus si tristes.

Les animaux de la maison

Bêtes sauvages et oiseaux, reptiles et animaux... ont été domptés par l'homme.
Jacques 3.7

64 J'aime tant mon chat -
son ronronnement si doux,
sa drôle de petite tête
et sa curiosité.
Merci de l'avoir fait, Seigneur;
merci pour tout ce que j'aime en lui.

65 Seigneur Jésus, notre petit chien est mort. Nous
avons beaucoup de peine parce qu'il était si
affectueux, si joyeux, et nous étions si heureux de
l'avoir à la maison. Maintenant nous sommes tristes
sans lui... Nous savons que tu aimes les animaux.
C'est toi qui les a faits. Merci de nous l'avoir donné et
pour tous les jours heureux que nous avons passés
avec lui.

66 Seigneur,
je voudrais être sûr que mon hamster est heureux.
Comme il ne sait pas parler, je ne peux pas en être
certain. Alors, aide-moi à mieux le soigner. Parce que
parfois j'oublie un peu de m'occuper de lui.

67 Merci, Dieu, pour les animaux:
merci parce que tu nous les as donnés pour nous faire
plaisir. Aide-nous à bien les soigner.
Merci surtout pour les animaux qui vivent à la
maison. Aide-nous à bien nous en occuper et à les
aimer.
Amen

68 Celui qui sait le mieux prier, c'est celui qui sait le mieux aimer toutes les créatures, petites ou grandes; car le Dieu de bonté qui nous aime a tout créé et aime tout ce qu'il a créé.

A l'école

Quel que soit votre travail, faites-le de tout votre coeur...
Colossiens 3.23

69 O Dieu, j'ai eu une de ces peurs!
Je suis allé voir le collège.
La maîtresse nous y a emmenés pour
qu'on se rende compte. De toutes façons,
tu sais déjà comment c'est, toi.
Il y a plein de grands garçons là-bas.
Nous, on était les plus grands de l'école,
alors, ça va faire drôle...
Les professeurs ne sont pas du tout
comme la maîtresse; d'abord,
on va en avoir plusieurs et puis
il faudra changer de classe sans arrêt.
J'ai peur de me perdre.
Il y a des couloirs partout.
Aide-moi à trouver quelqu'un qui me montre le chemin.
S'il te plaît, fais que je me sente chez moi dans ce collège.
Après tout, c'est mon collège maintenant.

70 Merci pour l'école, Seigneur:
merci, parce que là, on apprend plein de choses.
Aide-moi, Seigneur, à faire de mon mieux en tout.
Amen

71 Seigneur,
aide-moi à l'école. Tu sais que je ne suis pas très doué,
mais j'essaie. C'est tellement pénible d'avoir de
mauvaises notes. Il y en a qui rient, il y en a qui
disent que je suis bête...
Je vais faire de mon mieux; et même, si tu m'aides, je
serai peut-être meilleur qu'avant.

72 Seigneur, accorde-nous la grâce de pouvoir travailler
aux choses pour lesquelles nous te prions.

73 Notre Père du Ciel, aide-nous dans notre travail de
chaque jour: rends-nous attentifs pour que nous
écoutions bien, appliqués pour que nous comprenions
bien et concentrés pour que nous retenions bien ce
que nous avons appris. Au nom de Jésus.
Amen

74 Seigneur Jésus,
merci de m'avoir aidé à l'école pendant ce trimestre.
Donne-moi des vacances vraiment reposantes et
permets que le prochain trimestre soit encore
meilleur que le dernier.

75 Seigneur, je ne te demande pas de penser ou de travailler à ma place, mais de m'aider: comme cela, tout ce que je ne pourrai pas faire ou comprendre tout seul, je pourrai quand même le faire ou le comprendre parce que tu seras avec moi. Apprends-moi à penser à Jésus comme à un ami toujours présent à côté de moi. En son nom.

76 Merci, Seigneur, pour mes amis parce que j'aime bien jouer; et merci pour les instituteurs, parce que, s'ils n'étaient pas là, on n'apprendrait pas autant de choses. Je t'aime, Seigneur.
Amen

77 Seigneur Jésus,
merci pour le travail que nous avons fait aujourd'hui, merci parce que nous avons été forcés de réfléchir et merci pour le plaisir que ça nous a donné. Aide-nous à aimer notre travail, quel qu'il soit, et à le faire de tout notre coeur, pour ta gloire. Je te prie d'être auprès de ceux qui n'ont pas de travail, et particulièrement auprès de ceux qui n'en ont pas depuis longtemps. Ils doivent être si découragés et si malheureux. S'il te plaît, aide leur famille à les soutenir et donne-leur bientôt du travail.

78 **M**erci pour notre école et pour tous ceux qui y travaillent.

Merci pour les professeurs qui nous aident à apprendre, pour ceux qui nous préparent à manger, pour les femmes de ménage qui nettoient après notre départ et pour le concierge qui garde l'école.

Merci parce que nous pouvons y aller tous les jours, alors qu'il y a tant d'enfants dans le monde qui n'ont pas d'école et qui ne peuvent rien apprendre.

Au nom de Jésus.

Amen

Notre Eglise

Vous êtes... le peuple qui appartient à Dieu.
1 Pierre 2.9

79 **M**erci pour les Eglises, ô Dieu,
parce qu'elles nous permettent de te parler plus
souvent... et aussi de te prier.

80 **S**eigneur, quand nous pensons à "l'Eglise", nous
pensons à notre Eglise, à nos amis,
à ceux qui t'adorent avec nous aujourd'hui.
Mais toi, Seigneur, quand tu vois l'Eglise,
tu vois les chrétiens de tous les temps,
ton peuple présent dans le monde entier,
et dans les siècles passés et futurs.
Seigneur, aide-nous à voir la grandeur de l'Eglise;
et à être heureux d'appartenir à ta famille.

81 Atmosphère de paix.
Bruit de pas étouffés,
Voix douces,
Echos de
Prières,
Louange,
Adoration,
Conservés entre les murs de ton Eglise, Seigneur.
Seigneur, j'aime ta maison.

82 Notre Père du Ciel,
merci pour l'Eglise et pour tous ceux qui nous
enseignent. Merci parce qu'ils nous aident à te
connaître. Aide-nous, s'il te plaît, à nous souvenir de
ce qu'on nous apprend et aide-nous aussi à le mettre
en pratique.
Amen

83 Seigneur,
nous voudrions que nos Eglises soient remplies par
des chrétiens qui t'adorent et qui te louent. Nous
voudrions que tous les hommes soient heureux de
savoir que tu les aimes.
S'il te plaît, ô Dieu, donne-nous le courage de parler
de toi à nos amis. Aide-nous à vaincre notre timidité.
Dans le monde d'aujourd'hui, nous nous sentons
parfois gênés d'être chrétiens. Aide-nous à parler plus
souvent de toi et de ton amour, sans nous inquiéter de
ce que les autres pourront bien penser.
Au nom de Jésus.
Amen

Les vacances

Jésus leur dit: "Venez à l'écart... et reposez vous un peu."
Marc 6.31

84 Seigneur,
merci pour les vacances: parce qu'on s'amuse bien.
Merci pour ceux qui nous emmènent avec eux.
Amen

85 Notre Père du Ciel,
merci pour les vacances:
pour la joie d'y penser à l'avance et de faire les
valises, pour les nouvelles régions que nous allons
découvrir et les nouvelles personnes que nous allons
rencontrer. Donne du repos à ceux qui sont fatigués
et qui ne peuvent pas partir un peu pour se détendre.
Aide-nous à profiter de nos vacances pour nous faire
de nouveaux amis et pour apprendre de nouvelles
choses.

86 Seigneur,
donne à chacun de nous de bonnes vacances.
Permets aussi que les personnes âgées qui sont dans
des fauteuils roulants aient autant de plaisir que
nous et qu'elles ne restent pas seulement à l'intérieur
à regarder les autres s'amuser.
Amen

87 Seigneur, tu sais que nous aimons tous les vacances:
on peut dormir tard le matin, on peut jouer ou écouter
la musique qu'on préfère, on peut retrouver les amis
et les parents qu'on n'a pas vus depuis longtemps. On
peut aussi oublier tous les soucis de l'école, et nos
cerveaux fatigués peuvent se reposer. Pour tout cela,
merci, Seigneur Jésus. Mais ne nous laisse pas
oublier tous ceux qui ne peuvent ni se reposer, ni
s'amuser. Aide-nous aussi à ne pas être égoïstes, et,
même en vacances, à chercher ce que nous pouvons
faire pour aider à la maison. En ton nom.
Amen

Amusons-nous!

Un coeur joyeux rend le visage aimable...
Proverbes 15.13

88 Seigneur, merci pour la télévision. Parfois, les émissions nous amusent et nous font rire; parfois, elles nous font rencontrer des gens du monde entier et découvrir de nouveaux pays; parfois, elles nous donnent des idées de bricolage ou de jeux. Aide-nous, Seigneur, à choisir les programmes qui nous permettront de mieux connaître le monde que tu as fait.

89 Merci, Seigneur, pour les artistes et les ballerines. Aide-les, Seigneur, ils doivent être si fatigués! Et merci pour le beau spectacle que nous avons vu. Amen

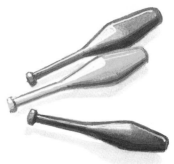

90 Gros livres et livres de
poche,
romans, livres d'histoire et
pièces de théâtre,
contes et tragédies,
bandes dessinées et livres
d'images,
drôles ou sérieux,
empruntés ou achetés,
écrits ou dessinés.
Merci, Seigneur, pour les livres et pour
le privilège de pouvoir lire.

91 Dieu vivant,
merci pour nos passe-temps favoris
et pour tout ce que nous aimons faire.
Merci pour la joie de constituer une collection.
Merci pour le plaisir de se donner à fond dans le
sport, pour ce que nous faisons tout seul et pour les
choses que nous bricolons ensemble, avec des amis.
Merci, Seigneur, pour ceux qui nous apprennent et
qui nous aident, pour ceux aussi qui nous donnent
des idées nouvelles.
O Seigneur, il y a tant de choses à faire, à découvrir
et à aimer!
Merci!

92 Merci, Seigneur,
pour tous ceux qui travaillent pour nous faire plaisir;
pour ceux qui font les programmes de télévision que
je regarde; pour ceux qui produisent les disques que
j'écoute; pour ceux qui écrivent des livres et des
bandes dessinées; pour ceux qui inventent des jouets
et des jeux.
Merci, Seigneur, pour tous ceux qui travaillent pour
nous faire plaisir.

Musique et chant

Ils firent une joyeuse fête, avec des chants accompagnés par la musique des cymbales, des harpes et des lyres.
Néhémie 12.27

93 **M**erci Seigneur de nous avoir donné la musique, de grands compositeurs et de grands musiciens. Merci de nous avoir donné les techniques pour les écouter n'importe où et n'importe quand. Merci pour la musique triste, la musique gaie et la musique comique.
Amen

94 **S**aint, saint, saint, Seigneur Dieu, le Tout-Puissant!
Dès le lever du jour, notre chant s'élève vers toi.

95 **N**ous te louons, Seigneur, pour la joie que donne la musique et pour le talent des compositeurs et des musiciens.
Même si nous n'aimons pas tous le même genre de musique, il y a tellement de choix que chacun de nous peut trouver ce qui lui plaît.
Merci pour les cantiques que nous pouvons chanter et aussi parce que la musique peut nous aider à t'adorer.
Merci pour les musiciens qui donnent tant de joie à tant de monde.
Accepte notre louange, nous t'en prions.

96 **M**erci Seigneur, parce que nous pouvons chanter pour toi.
Merci parce que la musique nous rend heureux
et que nous pouvons chanter de jolies chansons.
Amen

97 **N**otre Père du Ciel,
nous aimons tant nous défouler parfois avec nos
instruments de musique, ou bien en chantant et
même en criant! Aide-nous pourtant à nous souvenir
des autres, et à ne pas déranger notre famille ou nos
voisins. Aide-nous à trouver le bon moment et le bon
endroit pour nous amuser et à ne pas oublier que
d'autres ont aussi besoin de calme. Aide-les aussi à
comprendre que nous avons besoin de nous détendre.
Au nom de Jésus.
Amen

Sports et jeux

*Les exercices physiques sont utiles, mais à peu de chose; l'attachement à Dieu, au contraire, est
utile à tout.*
1 Timothée 4.8

98 Merci, Seigneur, de pouvoir courir et sauter.
Merci de pouvoir nager et plonger.
Merci d'avoir conçu notre corps tel qu'il est: il peut
pratiquer tant de sports!
Merci pour le bien-être qui suit l'effort.
Aide-nous à garder nos corps en bonne forme et en
bonne santé.
Au nom de Jésus.
Amen

99 O Dieu,
merci pour les sports que nous pratiquons et pour les
grands sportifs de notre pays. S'il te plaît, protège-les
et aide-les aux Jeux Olympiques.

100 O Dieu,
nous t'en prions, aide-nous à faire une belle course.
Que nous puissions accepter la défaite sans jalousie,
gagner en restant modeste et toujours agir avec
honnêteté.

101 Jésus,
aide-nous à être de bons sportifs. Si nous perdons,
aide-nous à garder le sourire - et, s'il te plaît,
évite-nous d'être blessés!

102 Seigneur,
merci pour les terrains de sports.
Merci, Seigneur, pour le saut en hauteur
et toutes les activités athlétiques.
Amen

Tous en forme

Je souhaite que tu sois en bonne santé et que tout aille bien pour toi.
3 Jean 2

103 Seigneur,
je veux te remercier
pour tous les médicaments dont
nous disposons et qui aident à
guérir tant de maladies.
Il existe pourtant un mal
intérieur
qu'ils ne parviennent pas à
soigner.
J'ai entendu dire qu'il y a
des jeunes qui se droguent
et ça me cause beaucoup de peine.
Seigneur, j'ai besoin de toi dans
ce domaine. Aide-moi si les autres
me demandent d'essayer.
Donne-moi la force de dire non, et
non, et encore non.
Rappelle-moi que je n'ai besoin
de rien pour me calmer ou me
remonter;
et que la force que tu m'as donnée
me suffit pour vivre exactement
comme il faut.

104 Notre Père du Ciel,
je te prie d'être auprès de ceux qui ne sont pas en
bonne santé. Donne-leur des forces et de la patience.
Qu'ils sachent que tu es avec eux et que tu les aimes
quand ils ne se sentent pas bien.
Amen

105 Seigneur,
beaucoup de gens fument autour de moi. Je sais que
c'est mauvais, mais c'est parfois vraiment dur de
résister.
Je t'en prie, donne-moi la force de ne pas céder, de ne
pas faire comme les autres, et aide-les à s'arrêter.

106 O Dieu, protège et aide tous ceux qui doivent
affronter la vie avec un handicap.
Ceux qui sont infirmes et qui ne peuvent ni courir, ni
sauter, ni jouer comme les autres;
ceux qui sont aveugles et qui ne peuvent ni voir la
lumière du soleil ni le visage de leurs meilleurs amis;
ceux qui sont sourds et qui ne peuvent entendre ni la
voix de leurs amis, ni la musique, ni les chants
d'oiseaux;
ceux qui ont des difficultés à l'école et qui doivent
peiner toute l'année pour rester au niveau.
Donne du courage, de la force et ton aide à tous ceux
qui sont handicapés et permets que ceux qui sont
forts soient prêts à les aider;
par Jésus-Christ, notre Seigneur,
Amen

Quand vient la nuit...

Aussitôt couché, je peux m'endormir en paix car toi, Seigneur, toi seul,
tu me fais vivre en sécurité.
Psaume 4.8

107 La nuit est venue, chassant la lumière,
Ne t'éloigne pas, ô mon Dieu, mon Père...
Garde-moi des êtres mal intentionnés
dont les yeux sont ouverts quand les
miens sont fermés.

108 Notre Père du Ciel, parfois j'ai peur la nuit. J'ai
l'impression de voir des monstres et des ombres dans
le noir. J'entends craquer les escaliers... et aussi
d'autres drôles de bruits. Seigneur, aide-moi à me
souvenir que tu es toujours là près de moi et que je
n'ai pas besoin d'avoir peur.
Amen

109 Illumine notre obscurité, Seigneur, nous
t'en prions et dans ta miséricorde,
protège-nous cette nuit de tout péril et de
tout danger. Pour l'amour de ton Fils
unique, notre Sauveur Jésus-Christ.

110 **O**h! que ta main paternelle
Me bénisse à mon coucher
Et qu'abrité sous ton aile
Je m'endorme, ô mon berger!

Veuille effacer par ta grâce
Les péchés que j'ai commis,
Et que ton Esprit me fasse
Obéissant et soumis.

Que ta faveur se déploie
Pour consoler l'affligé
Donne au pauvre un peu de joie
Au malade, la santé.

Seigneur, j'ai fait ma prière.
Sous ton aile je m'endors,
Heureux de savoir qu'un Père
Plein d'amour, veille au dehors.

111 **P**ère,
merci pour toutes les joies
d'aujourd'hui. Merci de m'avoir protégé depuis ce
matin. Merci pour les bons moments que j'ai passés
avec mes amis. Merci pour ce que j'ai appris. Merci
pour tous ceux que j'aime.
Donne-moi une bonne nuit.
Amen

112 Bonne nuit, bonne nuit,
Sur la terre toute sombre
La nuit même n'a pas d'ombre
Pour celui que Dieu conduit.
Bonne nuit, bonne nuit.

113 Seigneur Jésus,
ce soir, pardonne-moi tout le mal que j'ai fait
aujourd'hui. Si j'ai été insolent, désobéissant ou
égoïste, je le regrette de tout mon coeur; mais c'est
parfois difficile d'être bon tout le temps. Aide-moi à
faire mieux demain.
Amen

114 Veille, Seigneur, sur ceux qui, cette nuit, ne peuvent
dormir ou qui pleurent, et envoie tes anges protéger
ceux qui dorment. O Seigneur Jésus, veille sur les
tiens au jour de la maladie, réconforte-les dans leur
lassitude, bénis-les au jour du bonheur. A cause de
ton amour.

115 Seigneur, pourquoi est-ce que tout semble plus
terrible dans le noir? Quand je me réveille la nuit,
mes soucis semblent grandir. Alors, je me souviens
que tu es là, toi et ton amour. Je sens ta paix entrer
en moi et je me rendors.

116 Quand vient la nuit sombre
je veux dire au Seigneur:
Tu me vois, là, dans l'ombre,
Garde-moi dans ton coeur.

Sentiments et Comportements

L'amour des autres

Dieu est amour. Celui qui demeure dans l'amour demeure en Dieu et Dieu demeure en lui.
1 Jean 4.16

117 Seigneur Jésus, tu dis dans la Bible que: "il n'y a pas de plus grand amour que de donner sa vie pour ses amis". Tu as donné ta vie pour que nous puissions être pardonnés de tout le mal que nous avons fait, et devenir ainsi tes amis.
Merci de nous avoir montré un si grand amour.
En ton nom.
Amen

118 Seigneur, aide-nous à nous souvenir que:
"L'amour est patient; il est bon; il n'est pas envieux,
ne se vante pas, n'est pas orgueilleux. L'amour ne fait
rien de honteux, il n'est pas égoïste, il ne se met pas
facilement en colère, il ne garde pas rancune.
L'amour ne se réjouit pas du mal, mais il se réjouit de
la vérité. L'amour excuse tout, il croit tout, il espère
tout, il supporte tout; l'amour est éternel."

119 Notre Père du Ciel,
quand je te prie, je me sens rempli de bonheur et j'ai
chaud au coeur.
C'est comme lorsque j'embrasse Maman et Papa très
très fort le soir avant d'aller au lit. Merci pour cet
amour que tu mets dans mon coeur.

120 Seigneur, je sais
qu'un des meilleurs moyens de montrer
que je t'aime,
c'est d'aimer les autres.
Parfois, c'est facile
quand je suis avec ceux que j'aime.
Mais, aide-moi, je t'en prie, quand ça
devient dur d'aimer,
quand je suis avec des personnes
méchantes,
ou que je ne comprends pas;
ou que je n'aime pas, tout simplement.
Apprends-moi à aimer comme Jésus a
aimé tous ceux qu'il rencontrait.
Apprends-moi à aimer comme tu aimes
maintenant:
chacun, toujours.

121 O Seigneur, donne-nous, nous t'en supplions au nom de Jésus-Christ, cet amour qui n'a pas de fin, qui allume nos lampes - et elles ne s'éteindront jamais - afin qu'elles puissent éclairer les autres, et avoir toujours besoin de toi.

122 Seigneur, tu nous as créés par amour et pour l'amour. Nous avons tant de peine à voir la haine qu'il y a dans le monde et dans nos coeurs. Tu es venu sur la terre par amour pour nous et pour vaincre la haine. Aide-nous à grandir dans l'amour. Amen

123 Père, j'ai tant de mal à aimer mes ennemis - ceux qui se moquent de moi derrière mon dos, ceux qui me frappent pendant la récréation, ceux qui me traitent de tous les noms dans la rue.

Je sens, alors, mon coeur se remplir de colère et de haine, et il ne reste plus beaucoup de place pour l'amour. Seigneur, aide-moi à chasser tous ces mauvais sentiments; aide-moi à aimer tout le monde - même ceux qui me font du mal.

124 Seigneur,
merci, parce que tu aimes les enfants.
Merci parce que ton amour n'est pas un amour comme les autres;
tu nous aimes plus encore qu'un père n'aime ses enfants; c'est parce que tu nous as faits et que nous sommes à toi.
Merci, Seigneur. Amen

125 Notre Père du Ciel,
il y a des gens qui n'aiment personne et il y en a que personne n'aime. Aide-les, Père, à comprendre que tu es toujours là, près d'eux et plein d'amour - si seulement ils voulaient bien se tourner vers toi...
Au nom de Jésus.
Amen

126 O Dieu, bénis tous ceux que j'aime;
O Dieu, bénis tous ceux qui m'aiment;
O Dieu, bénis tous ceux qui aiment ceux que j'aime
et tous ceux qui aiment ceux qui m'aiment.

J'ai peur

Je ne crains aucun mal, Seigneur, car tu es avec moi.
Psaume 23.4

127 Seigneur, donne-moi plus de courage. J'ai peur de tant de choses qu'on me traiterait de lâche si on le savait. J'ai peur d'être dehors, tout seul, dans le noir. J'ai peur des voleurs, j'ai peur de l'orage, j'ai peur de me faire du mal, j'ai peur que ceux que j'aime soient blessés ou tombent malades. Il n'y a qu'à toi que j'ose le dire, Seigneur; alors, je t'en prie, aide-moi à ne plus avoir peur de tout et donne-moi beaucoup de courage.

128 Je te remercie, Seigneur, parce que, quand on a peur, on peut te demander de l'aide.
Je te remercie parce que tu nous protèges toujours et parce que tu nous redonnes du courage.
Amen

129 S'il te plaît, Seigneur,
Aide-moi à être fort et courageux en
comptant sur toi, et fais disparaître ma
peur.
Amen

130 Seul, sans nul autre que toi, Seigneur,
j'avance sur le chemin de la vie.
En ta présence, comment aurais-je peur,
O Roi du jour et de la nuit?
Dans ta main, je suis plus assuré
Que si une armée me protégeait.

131 Jésus,
je t'en prie, empêche mes mains de trembler et ma
gorge de se serrer quand j'ai quelque chose de difficile
à faire. Donne-moi les mots que je dois dire au
moment où il faut, et dirige-moi tout au long de la
journée. Merci.
Amen

132 **M**erci, Seigneur, d'être avec nous quand nous avons peur; tu nous aides si bien pendant ces moments pénibles que, lorsque nous avons fini de prier, nous nous sentons en paix et tout joyeux. C'est comme si tu étais venu avec un aimant pour attirer la peur vers toi.
Amen

133 **C**elui qui veut rester fort,
même dans le malheur,
doit toujours suivre
son Seigneur.

134 Merci, Seigneur, parce que toi, tu sais comment aller tout au fond de mon coeur pour soigner et guérir ce qui me fait mal.

135 Quand j'ai peur, Jésus, aide-moi à me souvenir que tu es là, tout près de moi; plus près encore que mon ombre, plus près que mon coeur qui bat. Tu comprends mieux que moi toutes mes frayeurs, aussi aide-moi à me confier en toi; aide-moi aussi à rassurer les autres quand ils ont peur, comme toi, tu le fais pour moi.
Amen

136 Notre Père du Ciel,
je te remercie de ne pas nous avoir donné un esprit de crainte mais un esprit de puissance et d'amour. O Père, je veux laisser ta paix entrer dans mon coeur. J'ai confiance en toi, je sais que tu me montreras ce que je dois faire.

137 Je n'ai rien à redouter
car Dieu est à mes côtés.
Jamais il ne me laissera,
ou ne m'oubliera.
Dieu est avec moi.

Dieu est avec moi
tous les jours du mois!
Je n'ai rien à redouter,
il me garde du danger.
Qu'il soit loué!

Quand on se sent seul

Jésus dit: "Je suis avec vous tous les jours, jusqu'à la fin du monde."
Matthieu 28.20

138 Je suis toute seule, Seigneur.
J'ai l'impression
que personne ne m'aime.
Il y a du bruit
et du monde autour de moi;
alors je regarde,
mais c'est quand même
comme si j'étais
toute seule.
Est-ce que quelqu'un va venir
m'arracher à ma solitude?
Est-ce que quelqu'un va venir
me tendre la main
pour me montrer que j'existe?
Je suis toute seule, Seigneur.
J'ai besoin de l'amour
que tu m'as montré
quand tu es mort pour moi.
J'ai besoin de ton amour,
parce qu'il dure toujours.
Merci, Seigneur.

139 **P**ère,
beaucoup sont seuls dans le monde. Peut-être que
parmi eux il y a des enfants de l'école ou des gens qui
habitent à côté de chez nous... et nous n'avons même
pas remarqué qu'ils se sentaient seuls.
Aide-nous à chercher autour de nous, ceux qui ont
besoin d'amitié, et à réfléchir à ce que nous pouvons
faire pour eux.
Au nom de Jésus.
Amen

140 **S**eigneur,
s'il te plaît, aide-moi quand je suis seul; aide-moi
quand je suis triste parce qu'à l'école, les autres n'ont
pas été gentils avec moi. S'il te plaît; aide chacun de
nous à continuer courageusement sa route.

141 **O** Seigneur, ne nous permets jamais de croire que
nous pouvons tenir ferme par nos propres forces, sans
avoir besoin de toi.

142 **P**ère,
je me sens seul; les autres ne veulent pas de moi.
Merci parce que toi, tu veux bien de moi. Tu as
promis de te souvenir toujours de moi, de ne jamais
m'oublier. Merci, parce que, pour toi, j'ai de
l'importance. Mais, s'il te plaît, aide-moi aussi à
apprendre à laisser les autres venir vers moi.

Les malades

Je panserai les blessés et je fortifierai les malades...
Ezéchiel 34.16

143 Dieu, notre Père,
il y a beaucoup d'enfants dans le monde qui ne
pourront pas se lever aujourd'hui parce qu'ils sont
malades. Il y en a même qui sont malades depuis si
longtemps qu'ils ne savent plus ce que c'est que de
courir et de jouer avec des amis. Seigneur, aide-nous
à nous imaginer ce que cela représente: des mois ou
des années dans un lit... des mois ou des années de
solitude... Aide-nous à chercher ce que nous pouvons
faire pour les malades que nous connaissons.
Au nom de Jésus.
Amen

144 Seigneur Jésus, je suis malade.
Je t'en prie, guéris-moi.
Aide-moi à être courageux
et reconnaissant envers ceux
qui me soignent.
Merci d'être avec moi.

145 Seigneur,
je viens d'aller voir mon amie qui est malade.
C'est affreux! Je t'en prie, guéris-la, et que nous
puissions bientôt recommencer à jouer ensemble.

146 Seigneur, nous voulons te prier aujourd'hui pour
ceux qui sont à l'hôpital. Nous te demandons
qu'aujourd'hui, chacun d'eux sache que tu l'aimes, et
se tourne vers toi pour recevoir la force qui lui
permettra de supporter sa maladie. Aide-les à ne pas
trop s'attrister de ce qui leur arrive, mais à profiter de
ce temps passé à l'hôpital pour apprendre quelque
chose de nouveau sur toi.
Au nom de Jésus.
Amen

147 O Dieu, s'il te plaît, s'il te plaît, guéris mon ami.
Aide les docteurs à trouver de nouveaux médicaments
qui lui feront du bien.
Amen

148 Seigneur Jésus,
je ne me sens pas bien. J'ai mal à la tête et j'ai les
yeux qui piquent. S'il te plaît, Seigneur, reste avec
moi - j'ai besoin de toi.

Aider et partager

Le Fils de l'homme n'est pas venu pour être servi, mais pour servir...
Marc 10.45

149 Père, souvent, nous pensons plus à nous qu'aux autres. Nous ne voyons que nos petites histoires et nos petits problèmes à nous.
Aide-nous, Seigneur, à nous souvenir de ceux qui ont peut-être besoin de notre amour et de notre aide: des parents, des amis, des voisins. Apprends-nous à devenir comme toi: attentifs aux besoins de chacun.
Au nom de Jésus.
Amen

150 Un petit geste,
un mot gentil...
Et la terre sourit
et le ciel aussi!

151 Merci, Seigneur, pour le désir d'aimer et de servir
que tu mets en nous.
Merci de prendre soin de nous.
Je te prie de nous aider à penser plus aux autres.
Amen

152 Seigneur, je regrette toutes les fois où j'ai gêné les
autres au lieu de les aider: les fois où j'ai laissé
traîner mes vêtements et mes jouets; les fois où j'ai
oublié de retirer mes chaussures pleines de boue; les
fois où j'ai renversé exprès ma limonade... et aussi ma
peinture sur les meubles; les fois où j'ai fait du bruit
quand on m'avait demandé le silence.
Je t'en prie, Seigneur, rends-moi plus obéissant et
plus serviable chaque jour.

153 Seigneur, ma grand-mère ne peut presque plus
marcher. Elle a toujours besoin d'aide. Seigneur
Jésus, rends-moi plus attentionné. Rappelle-moi
d'aller l'aider plus souvent pour lui rendre la vie plus
facile.
Amen

154 Seigneur, rends-nous toujours plus désireux de partager ce que nous possédons. Accorde-nous ton Esprit pour que nous puissions trouver plus de joie à donner qu'à recevoir. Rends-nous prêts à donner joyeusement et non à contre-coeur, discrètement et non pour être vus, simplement et non pour être remerciés, pour l'amour de Jésus.

155 Comment voir ta peine
Sans souffrir moi-même?
Comment te voir affligé
Sans vouloir te consoler?

156 Merci, Seigneur, de prendre soin de nous;
donne-nous ce dont nous avons besoin pour pouvoir
continuer à vivre.

157 O, divin Maître,
apprends-moi, dans ta grâce,
à ne pas tant chercher
à être consolé qu'à consoler,
à être compris qu'à comprendre,
à être aimé qu'à aimer;
car c'est en donnant que l'on reçoit...

158 Dieu, notre Père,
tu nous a fait à chacun des dons différents: à certains,
tu as donné plus d'argent, à d'autres, plus de temps,
plus d'habileté, ou plus de force... Quel que soit le don
que nous ayons reçu, aide-nous, Seigneur, à l'utiliser
pour le service des autres. Car c'est en nous mettant à
leur service que nous pourrons montrer à tous - et à
toi - que nous t'aimons. Au nom de Jésus.
Amen

Quand un ami meurt

Dieu nous donne la victoire sur la mort par notre Seigneur Jésus-Christ.
1 Corinthiens 15.57

159 Seigneur Jésus, tu as pleuré quand ton ami Lazare est mort; tu comprends donc ce que nous ressentons aujourd'hui. Console-nous car nous sommes si tristes et nous nous sentons si seuls sans celui que nous aimions tant. Aide-nous à nous réjouir car il est heureux auprès de toi et parce qu'il n'aura plus jamais de chagrin. Apprends-nous à nous confier en toi et à t'aimer pour que nous puissions vivre avec toi pour toujours.

160 Seigneur, s'il te plaît, console-nous, car notre chat vient de mourir et nous avons beaucoup de peine. Amen

161 Seigneur, tu sais combien il est dur de voir mourir ceux que nous aimons. Mais tu as préparé une place dans le ciel pour tes amis, et là, ils sont bien plus heureux que n'importe où sur la terre, parce que toi, tu es là. Merci, Père, parce que nous aussi nous serons un jour avec toi.
Amen

162 Seigneur,
pourquoi doit-on mourir?
Je sais que ceux qui t'aiment vivent dans le ciel après leur mort, mais pourquoi ne peuvent-ils pas vivre toujours sur la terre? Seigneur Jésus, donne-moi, s'il te plaît, de vivre longtemps.
Amen

163 Dieu, notre Père,
je sais que nous devrons tous mourir un jour.
Tout finit par mourir. Merci, parce que, quand je mourrai, je serai avec toi. Merci, parce que, quand on te connaît, on peut être heureux quand on meurt. Mais Seigneur, ce n'est pas facile d'être heureux quand quelqu'un qu'on aime meurt. Il faut longtemps avant de ne plus souffrir et de ne plus trop sentir le vide. Seigneur Dieu, que ton amour nous donne la force de supporter la mort de ceux que nous aimons.
Au nom de Jésus.
Amen

Colère et disputes

Une réponse douce calme la fureur, mais une parole dure excite la colère.
Proverbes 15.1

164 **S**eigneur,
parfois, je me mets en colère. S'il te plaît, aide-moi à
retrouver mon calme... et je te demande pardon,
Seigneur, parce que, parfois, je suis aussi en colère
contre toi.

165 Père, il m'arrive de ne pas être content de faire ce que je dois faire. J'ai horreur de devoir dire "d'accord" quand je voudrais dire "non". Aide-moi à être obéissant.

166 Je viens de me disputer avec mon ami.
On s'est dit des choses affreuses...
On était en rage tous les deux...
Maintenant, je suis malheureux.
Je voudrais bien aller m'excuser - mais pourquoi est-ce que je devrais demander pardon le premier?
Je voudrais bien qu'on se réconcilie.
Peut-être qu'il pense la même chose.
Seigneur, aide-moi à vaincre mon orgueil.
Aide-moi à m'excuser pour que nous redevenions amis.

167 O Dieu, quand je suis en colère contre quelqu'un, j'aurais presque envie de le tuer, mais je ne le fais pas parce qu'à l'intérieur de moi, il y a quelque chose qui me pousse à me calmer et à ne pas lui en vouloir. Apprends-moi à pardonner.

168 Seigneur Jésus, nous nous mettons en colère contre tant de personnes: nos professeurs, nos amis, nos parents, et nos frères et soeurs. Parfois aussi, je suis en colère à cause des guerres, du chômage et des famines. Alors, j'ai envie de faire quelque chose.
Aide-moi, Seigneur, à ne jamais être violent.
Seigneur, quand nous sommes en colère, aide-nous à te prier encore plus fort. Apprends-nous à être plus tolérants envers les autres. Aide-nous à nous souvenir que la violence et les cris n'arrangent rien.
Que ta paix et ton amour viennent rétablir le calme en nous.
Amen

Mensonges et vérité

Ne vous mentez pas les uns aux autres.
Colossiens 3.9

169 O Seigneur Jésus-Christ, toi qui es le chemin, la vérité et la vie, ne permets pas, nous t'en prions, que nous nous éloignions de toi qui es le chemin. Aide-nous à ne pas te mentir, toi qui es la vérité; à te fuir, toi qui es la vie. Apprends-nous ce que nous devons croire, ce que nous devons faire et en qui nous devons nous confier.

170 Seigneur,
je te prie de m'aider à être honnête et de me garder
du mal. Quand je parle, aide-moi à dire la vérité, tout
simplement et sans avoir peur.
Amen

171 Dieu, notre Père,
aide-nous à dire la vérité, même quand nous avons
fait quelque chose de mal. Je sais que c'est difficile,
mais aide-nous, je t'en prie.
Pardonne nos mensonges.
Amen

172 Il est heureux celui qui ne veut
jamais cacher la vérité,
qui est toujours honnête
et qui aime les paroles vraies!
Aide-moi, Seigneur, à aimer la vérité.

173 Les mots que je dis
tracent chaque jour,
pour ceux qui m'entourent,
un portrait de moi.

Si ce que je dis
n'est ni beau, ni vrai,
le tableau entier
perdra son éclat.

Si ce que je dis
est la vérité,
c'est l'image de Dieu
qu'on verra en moi.

Obéir

Jésus retourna à Nazareth avec ses parents et il leur obéissait.
Luc 2.51

174 O Dieu,
Jésus obéissait toujours à sa maman. Aide tous les enfants d'aujourd'hui à obéir à leur maman comme le faisait Jésus.

175 O Dieu, notre Père, t'obéir est la plus importante des choses, et pourtant je sais que parfois je ne t'obéis pas: pardonne-moi Seigneur, aide-moi à bien me souvenir que ce que je dois faire, c'est ta volonté et non la mienne. Aide-nous tous à mieux obéir à nos parents, à nos professeurs et à tous ceux qui nous dirigent.
Au nom de Jésus.
Amen

176 Seigneur,
si tout le monde obéissait à tes commandements, le
monde ne serait pas dans l'état où il est. S'il te plaît,
aide-nous à être plus obéissants et surtout, à faire ce
que tu veux que nous fassions.
Amen

177 Pourquoi est-ce si difficile d'obéir?
Pourquoi avons-nous si souvent envie de faire le
contraire? S'il n'y avait pas de lois, ce serait le
désordre. Quand nous désobéissons aux lois, nous
pouvons faire du tort à quelqu'un - alors aide-nous,
Seigneur, à être obéissants.
Au nom de Jésus.
Amen

Notre avenir

Jésus dit: "Ne vous inquiétez donc pas du lendemain,
car le lendemain aura soin de lui-même. A chaque jour suffit sa peine."
Matthieu 6.34

178 Seigneur,
tu sais ce qui est le mieux pour nous.
Aide-nous à ne pas nous faire de soucis pour l'avenir.
Comme tu nous aimes tous, tu t'occuperas de tout.

179 Seigneur,
quand je serai grand, je veux aimer Jésus de tout
mon coeur et travailler pour lui de toutes mes forces.

180 Ce que tu veux aujourd'hui
me donner,
comme un enfant, je veux
le prendre;
mais ce que demain doit
me réserver,
à ta sagesse, je veux le rendre.
Pourquoi craindrai-je le jour
qui vient?
Tu le tiens, tout entier,
dans ta main.

181 **O** Dieu,
je m'inquiète pour l'avenir. Tu sais... la couche
d'ozone, la pollution de la mer... Je me fais du souci
pour les centrales nucléaires.
Seigneur, pourquoi faut-il qu'il y ait tous ces
problèmes?
Quand est-ce qu'il n'y en aura plus?
Quand est-ce qu'on les aura tous résolus?

182 **S**eigneur,
donne aux enfants qui naîtront longtemps après nous
un monde où il fera bon vivre. Donne-leur de l'air
frais à respirer et de l'eau pure à boire.

183 Ma vie est encore devant moi,
Avec tout ce que tu m'as confié;
C'est vrai que j'ai une dette envers toi: tu
m'as tant donné!
Aide-moi, et je vivrai toute ma vie pour te
plaire.

184 Dieu, notre Père,
fais que nous ayons tous un bel avenir.
Fais que dans le monde les choses puissent s'arranger
avec un peu de bonne volonté... Mais fais aussi que
nous pensions plus souvent à te prier.
Amen

185 O Seigneur Jésus-Christ, notre Créateur, toi qui a
pensé à tout, qui a fait de nous ce que nous sommes,
tu as des projets pour chacun de nous. Dans ta bonté,
ô Seigneur, accomplis ton plan en nous. Toi seul es
sagesse; tu sais ce qui convient à des gens comme
nous, qui sommes remplis de fautes; dans ta bonté,
dirige notre avenir selon ta volonté, ô Jésus-Christ,
notre Seigneur.

186 Seigneur Dieu,
je me fais du souci pour plus tard, parce que j'ai peur
qu'un jour le soleil s'écrase sur la terre. Je sais que ça
ne peut pas arriver, pourtant j'ai encore peur.
Délivre-moi de mes craintes inutiles.

Jours de tristesse

Prête l'oreille à mes paroles, ô Seigneur! Ecoute ma plainte.
Sois attentif à mes cris, mon roi et mon Dieu! car c'est à toi que j'adresse ma prière.
Psaume 5.1-2

187 Seigneur, aide-nous quand nous sommes
tristes,
quand toute notre joie est partie.
Donne-nous ta joie,
celle qui nous redonne le bonheur.

188 Seigneur, je te prie de consoler les malheureux qui
souffrent et qui ne savent plus de quel côté se tourner
pour trouver du secours. Donne-leur le courage de
continuer, même si tout semble désespéré. Seigneur,
c'est quand tout va mal que nous comprenons
vraiment que tu es notre seul espoir et notre force.
Permets que de plus en plus de gens puissent
découvrir ton amour et ta paix au milieu de leur
tristesse et de leurs difficultés. Au nom de Jésus.
Amen

189 Etends, ô Seigneur, ta miséricorde sur tes serviteurs dispersés, que ta main droite leur apporte le secours du ciel afin qu'ils puissent te chercher de tout leur coeur et recevoir ce que, avec raison, ils te demandent; par Jésus-Christ notre Seigneur.
Amen

190 Seigneur,
quand je suis triste et seul,
je te prie, et alors,
je ne suis plus seul.

191 Seigneur,
quand nous sommes tristes, tu remplis nos coeurs de joie. Tu es là, avec nous, et ça, nous ne pouvons pas l'oublier. Il suffit de te parler quelques instants, et nous nous sentons de nouveau heureux. Merci pour tout ce que tu fais pour nous.
Amen

192 Seigneur Jésus, tu as parfois été triste et tourmenté sur la terre; je t'en prie, aide-nous quand nous sommes troublés. Même si nous sommes inquiets, donne-nous le courage d'affronter ce qui nous fait peur. Quand nous sommes malheureux, que nous puissions être réconfortés à l'idée que tu es là. Aide-nous à t'apporter tous nos soucis, puisque toi, tu comprends tout.

Jours de joie

Poussez vers le Seigneur des cris de joie, vous tous, les habitants de la terre!
Psaume 100.1

193 O Dieu,
merci pour les bons moments que tu nous donnes.
Aide-nous à ne pas t'oublier quand nous nous
amusons, et à ne pas oublier non plus ceux qui ne
s'amusent pas et qui ne sont pas aussi gâtés que
nous.

194 Seigneur Jésus,
qu'est-ce qu'on s'est amusé aujourd'hui! J'ai attrapé le
fou rire et mon amie aussi. On ne pouvait plus
s'arrêter. On en avait mal aux côtes. C'était
comique... mais comique! Je me sens si bien quand j'ai
bien ri. Merci d'avoir inventé le rire.
Amen

195 Seigneur Jésus,
merci pour cette si belle journée.
Si seulement les hommes pouvaient tous t'adorer!
Il n'y aurait plus de guerres sur notre terre...

196 Père,
quand nous sommes heureux, rappelle-nous de
partager notre bonheur avec les autres. Aide-nous à
faire tout notre possible pour rendre les autres aussi
heureux que nous. Merci pour les moments où nous
nous sentons si heureux que nous avons envie de
crier de joie.
Amen

197 Seigneur,
aide-moi à être toujours joyeux;
aide-moi à toujours t'aimer;
aide-moi à toujours être en bonne santé;
aide-moi à toujours dire la vérité.
Amen

Jouons!

Dieu donne avec abondance toutes choses pour que nous en jouissions.
1 Timothée 6.17

198 Père,
merci pour la mer et le sable,
pour les rochers et les ballades,
pour les grandes flaques et les galets,
pour les coquillages et les pique-niques,
pour les jeux et pour les baignades.
J'aime tant l'écume,
et les embruns,
les vagues
et les éclaboussures.
Merci pour tous les plaisirs de la plage.

199 **S**eigneur,
on a bien joué dans le parc
aujourd'hui.
On a fait un grand match de foot,
et j'ai marqué un but, Seigneur, c'était
génial!
Merci pour cette belle journée.

200 **B**oom! La fusée est partie! Quel bruit! Elle retombe
en pluie dorée! Psssssscht! Bang! Je voudrais tant
pouvoir voler là-haut, au milieu des étincelles de
toutes les couleurs. Merci, Seigneur, pour les feux
d'artifice. Je les aime tellement!

201 **M**erci pour tout ce qui nous fait plaisir,
Père:
courir en été sous la pluie
sans imperméable,
faire du vélo,
monter aux arbres,
jouer au chat,
construire une cabane en cachette,
inventer des mots de passe...
Pour tout ce qu'on peut faire pour
s'amuser,
Père, merci.

Ce Monde Qui Nous Entoure

Notre monde

Et Dieu vit tout ce qu'il avait fait, et voici, cela était très bon.
Genèse 1.31

202 Au commencement, il faisait noir,
la terre n'existait pas
et il n'y avait rien à voir.

Alors, Dieu a créé les planètes
et le soleil tout en feu,
cette lumière qui nous éclaire.

A une planète, il a donné
un nom: Terre.
Et voilà, la terre était née!

Il a ensuite séparé la terre de l'eau;
C'est Dieu qui l'a fait,
bien comme il faut.

Puis le Dieu tout-puissant
a créé les bêtes
qui vivent dans l'océan.

Puis, il a fait tous les animaux
qui se promènent
par monts et par vaux.

Puis, il a fait Adam et Eve
et les a aidés
à devenir les chefs

De tous les êtres vivants:
les poissons dans l'eau,
les oiseaux dans le vent.

Enfin, le septième jour, il s'est reposé
et c'est le jour
que j'ai toujours préféré!

203 Seigneur,
tu nous as fait un monde magnifique.
Pardonne-nous quand nous abîmons ce que tu as créé
pour nous faire plaisir: les rivières si pures, les arbres
et les prés verts.
Aide-nous à protéger ta création et à empêcher les
autres de la détruire.
Amen

204 Ce soir, j'ai regardé le ciel, si clair et si sombre à la
fois, et j'ai vu des milliers d'étoiles brillantes. Quel
monde merveilleux tu as fait, Seigneur! Il est si
grand, et pourtant, tu aimes tout ce qui s'y trouve,
même les plus petites choses. Merci.

205 O Dieu grand et merveilleux qui as créé les cieux et
qui habites, bien au-delà, un lieu de lumière et de
beauté; toi qui as fait la terre et qui te révèles dans
chaque fleur qui s'ouvre; ne laisse ni mes yeux, ni
mon coeur devenir aveugles à ta présence, mais
apprends-moi à te louer, comme l'alouette qui t'offre
son chant dès le lever du jour.

206 Merci, Jésus, pour ta magnifique création. Merci,
parce que tu connais l'existence de chaque brin
d'herbe, de chaque animal et de chaque arbre. Merci,
parce que tout est sous ton contrôle.

207 Nous te louons, ô Dieu, pour ce si beau jour - pour le
bleu du ciel, la chaleur du soleil, les fleurs et les
grands arbres.

208 Loué sois-tu, mon Seigneur, pour toutes tes créatures, et d'abord pour notre Frère Soleil, qui nous apporte le jour et la lumière...

Loué sois-tu, mon Seigneur, pour notre Soeur Lune et pour les étoiles que tu as mises, claires et précieuses, dans les cieux...

Loué sois-tu, mon Seigneur, pour notre Soeur, Mère Terre, qui nous porte et nous garde, et produit des fruits de toutes espèces, des fleurs de toutes couleurs et des herbes...

Louez et bénissez le Seigneur, rendez-lui grâces, et servez-le avec grande humilité.

209 Notre Père du Ciel, nous te louons parce que le monde que tu as créé est grandiose et merveilleux. L'immensité de l'univers, le fracas du tonnerre, la poussière des vagues déferlantes nous rappellent ta grandeur. Mais le dessin délicat des ailes du papillon, les couleurs chatoyantes des plumes du canard, l'infinie diversité des feuilles des arbres nous montrent que tu n'es pas seulement un Dieu fort et puissant, mais aussi un Dieu attentif aux petits détails qui aimes la beauté et les choses délicates. Apprends-nous à apprécier ce que tu as fait et à aimer ce monde. Nous t'en prions au nom de Jésus. Amen

Les animaux

Et l'homme donna des noms à tout le bétail,
aux oiseaux du ciel et à tous les animaux des champs.
Genèse 2.20

210 Partout, dans les livres, dans les films,
dans les zoos, des dizaines, des centaines,
des milliers d'animaux:
le singe et la perruche,
le cheval et l'autruche,
la girafe tout là-haut,
tout en bas, l'escargot,
la souris, minuscule,
l'éléphant, majuscule,
les grands et les petits, les beaux et les
moins beaux; nous te remercions, Dieu, de
les avoir tous faits.

211 Nous te louons, Seigneur, d'avoir fait le monde si
beau. Nous te louons pour tous les animaux: des plus
gros éléphants aux plus petits insectes.
Apprends-nous à traiter tes créatures avec respect et
bonté, nous souvenant que c'est toi qui les as faites et
que tu les aimes.
Amen

212 Tendre Père, prête l'oreille
au concert des oiseaux en fête,
mais, tout aussi tendrement, veille
sur tes frêles créatures muettes.

213 Jésus, aujourd'hui, j'ai tué une coccinelle parce
qu'elle me donnait la chair de poule... et puis je me
suis souvenu que c'était toi qui l'avais faite, Seigneur,
tout comme tu m'as fait un jour. Alors, je te demande
pardon.

214 **M**erci, Seigneur, pour les animaux,
pour les chats, les chiens, les tigres et les ours.
Merci pour les léopards et les kangourous. Merci,
Seigneur, pour les oiseaux qui chantent tous les jours.
Amen

215 **T**out ce qui est gloire et beauté,
tout ce qui est faiblesse et majesté,
tout ce qui est sagesse et clarté,
le Seigneur Dieu l'a créé.

216 **S**eigneur,
nous te remercions d'avoir fait tant d'animaux
merveilleux et les insectes; surtout les papillons.

217 Petit agneau, qui t'a fait?
Le sais-tu, dis, qui t'a fait?
Qui t'a donné souffle et vie,
Qui t'a soigné et nourri?
Qui a revêtu de laine
Ton corps si neuf et si frêle?
Qui t'a donné cette voix
Qui fait sourire les grands bois?
Petit agneau, qui t'a fait?
Le sais-tu, dis, qui t'a fait?

Petit agneau, viens, écoute,
Petit agneau, viens, écoute,
Ton auteur porte ton nom:
Il s'appelle aussi l'Agneau.
L'Agneau, doux et innocent
Est devenu un enfant.
Moi, l'enfant et toi l'agneau,
Nous portons tous les deux son
nom.
Petit agneau, Dieu te garde!
Petit agneau, Dieu te garde!

218 Notre Père,
merci pour tous les animaux. Tu les as créés avec
amour, comme tu nous a créés, nous. Aide-nous à les
défendre contre ceux qui leur font du mal et à
prendre soin d'eux comme tu prends soin de nous.
Amen

219 O Dieu, écoute notre humble prière en faveur de nos
amis les animaux. Nous te supplions d'être bon et
compatissant envers eux et de donner à ceux qui s'en
occupent un coeur sensible, des mains douces et des
paroles bienveillantes. Que nous soyons pour eux de
véritables amis afin que nous ayons part à la
bénédiction promise à ceux qui font le bien. Au nom
de ton Fils, notre doux Seigneur Jésus-Christ.

A la campagne

Le Seigneur est mon berger, Je ne manquerai de rien.
Il me fait reposer dans de verts pâturages;
Il me dirige près des eaux paisibles. Il restaure mon âme.
Psaume 23.1-3

220 Seigneur,
merci pour les fleurs et les plantes qui sont si jolies.
Je pense que le monde aurait vraiment été raté s'il
n'y avait pas eu de campagne.
L'air est tout parfumé là-bas.
Merci, Seigneur!
Amen

221 Pour les fleurs écloses sous nos pas,
Père, nous te disons merci.
Pour le vert tendre des prés et des bois,
Père, nous te disons merci.
Pour le chant des oiseaux ivres de joie,
Pour tout ce qui s'offre à nos yeux éblouis,
Père du Ciel, nous te disons merci.

222 Seigneur,
merci pour les moutons, les vaches et les cochons.
Merci pour l'eau si pure des ruisseaux. Aide-nous à
protéger la campagne pour qu'on puisse la voir
toujours aussi belle pendant beaucoup de siècles.
Amen

223 O Dieu, je n'arrête pas de penser à tous les oiseaux
qui meurent dans le pétrole des marées noires, et à
tous les autres animaux qui meurent aussi
emprisonnés. Je suis si triste, Seigneur, console-moi,
et permets que la pollution s'arrête un jour pour que
les animaux puissent vivre heureux.
Amen

224 Père,
fais que les hommes arrêtent de couvrir la campagne
de constructions, et de l'abîmer en laissant des
ordures partout et en coupant les arbres.

225 Dieu, notre Père, je voudrais être comme les fleurs
qui semblent heureuses de pousser là où elles sont -
même sur un sol très pauvre - et parce que leurs jolies
couleurs et leur parfum rendent heureux à leur tour
tous ceux qui les voient.

En ville

Le Seigneur dit: "Et moi, je ne me mettrais pas en peine pour cette grande ville?"
Jonas 4.10-11

226 **D**ieu de toutes nos villes
de nos avenues et de nos rues,
Veille sur chacune de nos maisons
Et sur chacun de leurs habitants.

227 **S**eigneur,
il y a tant de monde dans la ville - des gens que nous
ne remarquons pas toujours au milieu de la foule.
Personne n'a l'air de s'occuper d'eux. Seigneur,
aide-nous, si nous connaissons quelqu'un qui est seul,
à vaincre notre timidité pour aller vers lui et essayer
de nous en faire un ami.
Amen

228 **O** Dieu, cette ville est notre ville.
Avec ses rues commerçantes;
ses voitures et ses camions, ses bus et ses
vélos;
ses boutiques et son marché;
ses bureaux et ses bâtiments publics.
Avec ses parcs et ses jardins
remplis d'arbres et de fleurs,
d'enfants et d'oiseaux.
Avec ses milliers d'habitants
dans leurs maisons...
Et bien plus encore, dehors.
O Dieu, cette ville est notre ville;
Aide-nous à la garder belle, nous t'en
prions.

229 Les rues bourdonnent d'activité et du bruit des voitures. Des milliers de personnes se bousculent sur les trottoirs. On voit, derrière les vitres des trains et des bus, des visages fatigués et soucieux. Partout, du bruit, de la saleté, du béton et du verre. Seigneur, ce n'est pas toujours facile de sentir ta présence dans la ville. Je t'en prie, sois auprès de ceux qui vivent et qui travaillent dans les grandes villes. Au milieu de l'agitation de la journée, fais-leur lever les yeux vers le ciel pour qu'ils puissent se souvenir de ta beauté et de ton amour.

230 L'acier, le béton
les rouages et les pistons,
les pylônes et les diesels,
les grues et les poutrelles,
règnent dans nos villes, Seigneur.
Dieu grand et fort, mon Dieu à moi,
toute puissance vient de toi.

En voyage

Que le Seigneur veille sur toi et moi, quand nous nous serons, l'un et l'autre, perdus de vue.
Genèse 31.49

231 Que le chemin vienne à ta rencontre,
et le vent souffle dans ton dos.
Que le soleil brille sur ton visage,
et la pluie tombe doucement sur les champs;
et que Dieu te garde dans le creux de sa main,
jusqu'à notre nouvelle rencontre.

232 Père,
protège tous ceux que nous aimons lorsqu'ils sont en
voyage. Montre-leur ton amour pendant qu'ils sont au
loin, et ramène-les sains et saufs.
Au nom de Jésus.
Amen

233 Merci, ô Dieu, pour la joie des voyages.
Merci pour les avions et les hélicoptères, les
paquebots et les yachts, les fusées et les véhicules
spatiaux, les métros et les escaliers roulants, les
voitures et les trains, les motos et les camions. Veille,
je t'en prie, sur tous ceux qui voyagent aujourd'hui.
Apprends à chacun à conduire avec prudence, à être
toujours polis et à respecter les règles de sécurité.

234 Seigneur Jésus,
s'il te plaît, garde ceux qui sont en voiture et surtout
protège Papa sur l'autoroute.
Amen

235 Seigneur, j'aime beaucoup voyager; j'aime beaucoup l'avion et le train; je suis heureux de vivre à notre époque, car je peux aller dans le ciel ou sur l'eau, sur les routes et sur les rails. Merci Seigneur.

236 Seigneur, aide-moi à toujours savoir que, où que j'aille dans le monde, je reste sous ta protection. Accorde à ceux à qui je fais confiance: les pilotes, les conducteurs de trains, les capitaines de bateaux - d'être toujours en bonne forme et prudents pour faire leur travail le mieux possible. Car en me confiant en eux, c'est en toi que je me confie.

Pluie, soleil et vent

Louez le Seigneur depuis la terre... feu et grêle,
neige et brouillard, vents impétueux qui exécutez ses ordres.
Psaume 148.7,8

237 J'entends le vent, ô Dieu, et je pense à ton Esprit. Ce vent, je ne peux pas le voir; pourtant je sais qu'il est là parce que je vois son action. Il souffle si fort qu'il me redonne de l'énergie! Père, je veux que ton Esprit habite en moi.

238 Père,
merci pour le climat que nous avons. Nous avons beaucoup de chance d'avoir juste ce qu'il faut de pluie et de soleil pour que les plantes puissent pousser et nous nourrir. Je t'en prie, viens au secours de ceux qui, dans d'autres parties du monde, n'ont pas un aussi bon climat que nous.
Amen

239 L'homme laboure son champ et répand
sur la terre, sa semence;
mais c'est la main du Tout-Puissant
qui la fait croître avec patience.
c'est lui qui envoie la pluie,
la neige, le soleil et le vent...
Et peu à peu, le grain mûrit.
Ce don précieux nous vient des cieux!
Remercie donc ton Dieu,
pour son amour immense.

240 Seigneur, tu sais que nous n'aimons pas toujours la
pluie: elle nous mouille sur le chemin de l'école, elle
nous empêche d'aller jouer dehors, parfois même, elle
coule du plafond et elle provoque des inondations.
Mais nous savons bien que nous en avons besoin: c'est
grâce à elle que les légumes poussent, c'est grâce à
elle que nous avons de l'eau pour boire, pour faire la
cuisine, pour nous laver... et pour tant d'autres
choses. Nous savons aussi ce qui arrive dans les pays
où la pluie ne tombe pas: il n'y a pas de moissons, pas
de nourriture et rien à boire, sauf l'eau des puits.
Alors, Seigneur, nous te disons merci pour la pluie.

241 O Seigneur,
on se sent si bien au soleil!
Dès qu'il brille, tout est beau, tout est gai! Merci pour
les jours de soleil où le ciel est si bleu; merci parce
que le soleil réchauffe la terre et fait pousser toute la
végétation. Seigneur, tu es comme le soleil! Tu nous
réchauffes de ton amour et tu nous aides à grandir.
Fais briller ta lumière dans nos vies.
Amen

Ceux qui nous aident

Portez les fardeaux les uns des autres et vous accomplirez ainsi la loi du Christ.
Galates 6.2

242 Seigneur, accompagne chaque jour les policiers quand ils patrouillent au volant de leur voiture pour essayer d'arrêter les bagarres, quand ils font des rondes dans les rues toutes noires pour chercher les criminels qui se cachent dans les maisons en ruines. S'il te plaît, protège-les du danger.
Aide-les à ne pas se tromper quand ils arrêtent quelqu'un.
Apprends-leur à t'aimer et à te demander de les aider dans leur travail parce que c'est un métier très dur.

243 Merci, Père, pour les docteurs et les infirmières. Merci parce que nous pouvons aller les voir quand ça ne va pas. Merci aussi pour les équipes de sauvetage en mer et par air qui viennent nous secourir quand nous sommes en danger. Merci, Seigneur, pour les gens que nous pouvons aller voir à l'Eglise, quand quelque chose nous tourmente. Merci pour tous ceux qui nous aident.
Amen

244 Père tout-puissant, toi qui donnes la vie, guide et aide tous ceux qui cherchent à améliorer la sécurité des routes. Apprends à ceux qui conduisent et à ceux qui marchent sur les routes à ne pas être égoïstes, mais à se montrer patients et prévenants les uns envers les autres; comme cela, tout le monde pourra voyager en sécurité.

245 Seigneur, tu vois combien il est difficile d'être juste quand on a affaire à des gens qui ne disent pas toujours la vérité. Aussi, Seigneur, nous te demandons d'aider tous ceux qui ont la responsabilité de rendre la justice dans notre pays: les hommes et les femmes qui sont des juges et qui doivent décider si quelqu'un est coupable ou non; les magistrats qui doivent prononcer le jugement, ceux qui doivent prendre des décisions pour ceux qui n'arrivent pas à se mettre d'accord. Donne-leur à tous la sagesse pour que leurs jugements soient justes.

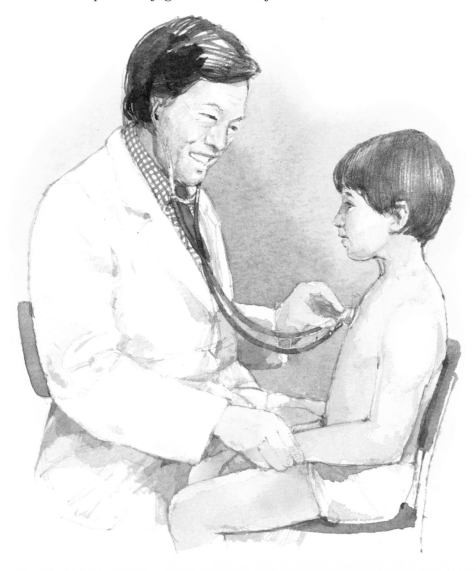

246 Père, merci pour les pompiers: pour leur courage et leur dévouement. Chacun trouve normal qu'ils soient là quand il y a un incendie, mais on oublie souvent les dangers qu'ils courent. Seigneur, aide-nous à nous souvenir qu'ils ont une famille et une maison comme nous. Protège ceux qui risquent leur vie tous les jours pour nous. Amen

247 Seigneur, merci pour nos parents et pour ceux qui nous enseignent à l'Eglise, qui donnent de leur temps pour que nous puissions apprendre à te connaître.

248 Seigneur Dieu, nous voulons te prier aujourd'hui pour tous ceux qui font un métier dangereux: ceux qui construisent des tours, des ponts, des tunnels et des voies de chemin de fer; ceux qui font tomber des immeubles ou de gros arbres; les pêcheurs et les marins qui affrontent des tempêtes; les soldats et les aviateurs; les ouvriers qui travaillent sur des machines dangereuses; les mineurs, les astronautes, les gens du cirque; les policiers, les veilleurs de nuit et les pompiers; et tous ceux dont le travail les expose au danger. Garde-les de tout accident, nous t'en prions, au nom de Jésus.
Amen

249 Père, merci pour tous ceux qui nous aident chaque jour d'une manière ou d'une autre. Merci, aussi, pour tous ceux dont le travail consiste à aider les autres. Merci, enfin, pour ceux qui aiment simplement les autres et qui les aident chaque fois qu'ils le peuvent. Aide-nous à montrer notre reconnaissance en aidant les autres à notre tour.
Amen

Tous les gens du monde

*Dieu a tant aimé le monde qu'il a donné son fils unique
afin que tous ceux qui croient en lui échappent à la mort,
et qu'ils aient la vie éternelle.*
Jean 3.16

250 Nous te remercions, Seigneur, pour la sagesse et l'amour que tu nous as montrés en créant l'humanité. Nous sommes tous si différents et pourtant tous si dépendants les uns des autres! Apprends-nous à travailler ensemble au lieu de travailler chacun pour soi; apprends-nous à mieux nous comprendre et à tout faire pour que tous les peuples du monde connaissent la paix et le bonheur; car nous faisons tous partie de ta famille répandue sur toute la terre.

251 Seigneur,
je me fais du souci pour tant de gens!
Pour les personnes âgées qui sont
abandonnées,
pour les enfants qui n'ont pas de parents,
pour les prisonniers de guerre,
pour les papas qui n'ont pas de travail,
pour les gens qui n'ont pas de maison,
pour ceux qui ont faim et froid,
pour ceux qui ont des problèmes si
compliqués
que personne ne sait plus comment les
résoudre.
Montre-moi comment
les aider.
Donne-moi les mots qu'il faut
pour leur parler de ton amour.

252 Seigneur, je vois du blanc et du noir.
Je vois des dents blanches dans un visage noir.
Je vois des yeux noirs dans un visage blanc.
Seigneur, aide-moi à voir des êtres humains - non
plus des noirs, des blancs, des rouges ou des jaunes -
mais, simplement, des êtres humains.

253 Seigneur Dieu, je me demande parfois comment tu peux tout savoir sur tout le monde. Il y a tant de gens partout! Comment peux-tu faire pour nous voir tous en même temps et pour écouter toutes nos prières? En tout cas, merci de le faire, même si je ne comprends pas comment tu y arrives. Merci aussi parce que chacun, dans le monde, peut parvenir à te connaître: en regardant ta création, ou en lisant ta Parole: la Bible. C'est triste de penser que, lorsque tu parles, il y a si peu de personnes qui se donnent la peine d'écouter. Aide-nous, je t'en prie, à prendre le temps de t'écouter et de te connaître mieux.
Au nom de Jésus.
Amen

254 Dieu, notre Père, tu vois que parfois, nous avons peur de parler à ceux qui ne sont pas de la même religion que nous. Nous avons peur de ce que les voisins vont dire ou faire. Donne-nous du courage. Apprends aux enfants et aux grandes personnes de ce pays, et des autres pays, à montrer aux autres qu'ils les aiment quelle que soit leur couleur, quel que soit le nom qu'on leur donne.
Amen

255 Seigneur Dieu, quand tu nous as faits, tu as fait aussi les autres. Apprends-nous à vivre avec ceux qui nous entourent. Pardonne-nous d'être parfois jaloux de ceux qui ont l'air d'avoir mieux réussi ou d'être plus heureux que nous. Pardonne-nous aussi de regarder parfois avec orgueil ceux qui nous semblent moins bien que nous. Aide-nous à aimer les autres comme tu nous aimes et à nous souvenir qu'ils sont aussi tes enfants.

256 Seigneur de toute vie, tu es le Seigneur des jeunes et des vieux.
Nous te remercions pour les vieilles personnes!
Elles ont tant à partager:
apprends-nous à les écouter.
Elles connaissent le monde depuis tant d'années:
apprends-nous à tirer profit de leurs conseils.
Elles ont rencontré, connu et aimé tant de monde:
aide-nous à les comprendre lorsqu'elles se sentent
mises de côté par les jeunes.
Elles ont vécu tant d'événements qu'on nous raconte
ou que nous lisons:
aide-nous à les comprendre lorsqu'elles se sentent
exclues du monde d'aujourd'hui.
Merci, Seigneur, pour la connaissance, l'expérience et
l'amour qu'elles nous transmettent.

Un monde de paix

Le Seigneur bénit son peuple en lui donnant la paix.
Psaume 29.11

257 Créateur du monde,
apprends-nous à nous aimer les uns les
autres,
apprends-nous à prendre soin les uns des
autres,
comme des frères et des soeurs.
que l'amitié entre les peuples
puisse grandir toujours plus.
Accorde la paix à notre monde,
O Seigneur de la création.

258 Seigneur,
tiens-toi auprès de ceux qui gouvernent le monde.
Donne-leur la sagesse et l'intelligence. Donne-leur
aussi le courage de dire ce qu'ils pensent être juste.
Aide-les à prendre de bonnes décisions afin que notre
monde puisse connaître la paix.

259 Merci, Dieu, de donner la paix à notre pays. Merci,
parce qu'il n'y a pas de guerre ici et que nous pouvons
être heureux.

260 O Dieu, à l'école, le maître a dit qu'il y avait des
pays où les blancs et les noirs ne s'aimaient pas.
Pourtant, la Bible dit que c'est toi qui as fait tous les
hommes. Alors s'il te plaît, fais que les hommes
arrêtent de se détester, et qu'ils se mettent, au
contraire, à s'aimer. J'espère que, comme ça, toutes
les guerres s'arrêteront et que la paix s'installera.

261 O Dieu, fais de nous des enfants de douceur et des
héritiers de paix.

262 Père,
aide tous les enfants qui ont peur parce qu'ils vivent
dans des pays où il y a la guerre. Tiens-toi tout près
d'eux, protège-les et donne-leur du courage: Seigneur
Jésus, envoie quelqu'un leur dire qu'en t'aimant, ils
trouveront la paix et le réconfort.
Amen

263 O Dieu, toi qui es la paix éternelle, toi qui as choisi de récompenser les tiens en leur faisant don de la paix, toi qui as enseigné que ceux qui procuraient la paix étaient tes enfants, verse ta paix en nos coeurs; que tout ce qui la trouble disparaisse totalement et que tout ce qui contribue à son règne soit à jamais l'objet de notre recherche et de notre amour.

264 Seigneur Jésus,
je te prie pour qu'il y ait toujours la paix. Mais, si jamais, un jour, il y avait une guerre avec des armes nucléaires, je te prie que les hommes puissent quand même garder la paix dans leur coeur.
Amen

265 Dieu, notre Père,
il y a des troubles dans le monde entier. Les hommes sont pleins de colère et de haine; alors, ils se font la guerre et ils se tuent. Pourquoi ne s'arrêtent-ils pas pour t'écouter, Seigneur? Si seulement, ils pouvaient savoir que tu es la réponse...

266 Seigneur, fais de moi un instrument de
ta paix;
que je puisse semer l'amour, là où règne
la haine;
le pardon, là où règne l'offense;
l'union, là où règne la discorde;
la foi, là où règne le doute;
l'espoir, là où règne le désespoir;
la lumière, là où règne l'obscurité;
la joie, là où règne la tristesse.

Les Saisons

Le printemps

L'hiver est passé; la pluie a cessé, elle s'en est allée.
Les fleurs paraissent sur la terre, le temps de chanter est arrivé.
Cantique des cantiques 2.11-12

267 Nous te louons, Seigneur, pour la beauté du
printemps. Nous te louons, Seigneur, parce que tu as
promis de donner aussi une vie toute neuve à ceux
qui t'aiment et qui croient en toi.
Amen

268 Les jonquilles
se balancent dans le vent.
C'est Dieu qui les pousse doucement.
Leurs doux pétales jaunes brillent
comme de la soie.
Merci Seigneur pour le printemps.

269 Que la terre est belle, pure et neuve quand elle renaît, ô Seigneur, comme une fleur au printemps!

270 O Dieu,
merci pour le printemps; c'est le moment où les oiseaux ont leurs petits. Tous les bébés animaux sont si mignons: les petits veaux et les agneaux. J'aime les regarder jouer et j'aime aussi voir les bébés oiseaux apprendre à voler. J'aime tant le printemps.

271 Merci, Père, parce que le printemps est une image de ta beauté.
Merci parce qu'il ramène avec lui le soleil,
les fleurs et une vie toute neuve.
Je t'en prie, purifie-nous afin que nous soyons, nous aussi, propres et neufs, chaque jour.
Amen

L'été

Que tes oeuvres sont nombreuses, ô Seigneur... La terre est remplie de tes biens.
Psaume 104.24

272 Jésus,
merci parce que l'été est revenu;
merci parce que le soleil est chaud et que les jours
sont longs;
merci parce que l'été est la saison où toute la nature
semble chanter ton nom.
Amen

273 Merci pour l'été, Seigneur, parce qu'il fait chaud.
Merci, parce que nous pouvons aller en vacances au
bord de la mer: nager, faire des châteaux de sable et
manger des glaces sur la plage. Merci, parce que l'été,
c'est si gai!
Amen

274 Seigneur, merci de nous avoir donné un monde si
merveilleux! Et merci, particulièrement, pour les joies
de l'été: nous nous sentons si libres et nous pouvons
faire tant de choses! Qu'à chaque instant, nous
puissions être remplis de la joie de connaître l'amour
de notre Sauveur.
Nous te le demandons en ton nom.

275 Pour l'air pur et le soleil d'été,
Nous remercions notre Père du Ciel;
Pour l'herbe qui pousse sous nos pieds,
Nous remercions notre Père du Ciel;
Pour les milliers de fleurs offertes,
Pour les arbres des bois en fête,
Pour les oiseaux qui chantent à tue-tête,
Nous remercions notre Père du Ciel.

276 **S**eigneur,
merci pour l'été
et pour le soleil bien chaud
qui fait mûrir les moissons.

L'automne

Dieu prépare la pluie pour la terre... Il fait souffler le vent.
Psaume 147.8,18

277 **D**ieu, notre Père,
l'automne est une belle saison
brumeuse,
pleine de couleurs
et de lumière.
Les fruits sont mûrs et délicieux.
Dans les bois, les écureuils
font provision de noisettes
pour l'hiver.
Au petit matin,
les gouttes de rosée étincellent
comme des diamants
sur les toiles d'araignée.
Merci, Seigneur, pour cette saison.

278 Voici venu l'époque où les jours raccourcissent. Le vent froid fait tomber les feuilles des arbres. La terre se referme pour son repos hivernal. Partout resplendissent les merveilleuses couleurs de l'automne. Seigneur Dieu, nous te louons pour la beauté de chaque saison.

279 O Dieu, merci pour l'automne, quand les feuilles sont tombées des arbres et que je marche dessus dans les bois; c'est comme si j'étais sur un doux tapis aux nombreuses couleurs.
Amen

280 Dieu, notre Père, les couleurs de l'automne flamboient partout autour de nous, les arbres croulent sous les fruits et les moissons s'entassent dans les granges. Apprends-nous à voir, en tout cela, un signe de ton amour fidèle; permets que, à notre tour, nous te donnions tout ce que nous avons de meilleur.

L'hiver

Seigneur Dieu, tu as fixé toutes les limites de la terre; tu as établi l'été et l'hiver.
Psaume 74.17

281 Seigneur, merci, parce que pendant les nuits d'hiver
si froides, je peux me blottir au chaud dans mon lit,
en sachant que tu m'aimes.
Amen

282 Seigneur,
s'il te plaît, aide les petites souris
et les autres animaux
à survivre pendant l'hiver.
Amen

283 En hiver, il fait froid et tout gèle...
Seigneur, mon coeur se glace aussi parfois: quand je
suis en colère, je me sens froid, dur et égoïste. J'ai
besoin que ton amour me dégèle, qu'il fasse fondre
mon coeur et me remplisse à nouveau de joie.

284 Il fait froid; alors nous voulons te dire merci, ô Dieu,
pour nos maisons confortables et notre école bien
chauffée; et aussi pour l'amour des autres qui nous
réchauffe à l'intérieur.

285 Seigneur Jésus, en hiver, les vieilles personnes et les
pauvres sont plus malheureux que jamais. Aide-nous,
cet hiver, à penser à ceux qui auront peut-être besoin
de nous et de notre amour.
Rappelle-nous d'aller les voir pour nous assurer qu'ils
ont assez chaud et assez à manger. Amen

Je Veux Te Parler Seigneur

Aide-nous à prier

Seigneur, enseigne-nous à prier.
Luc 11.1

286 Seigneur, quand tu étais sur la terre, tu trouvais le temps de prier.
Parfois, moi, j'ai bien du mal à y arriver. Il y a des jours où je suis trop occupé ou trop fatigué. Aide-moi à prendre du temps pour prier, et si parfois j'ai l'impression que ma prière ne sert à rien, aide-moi à être certain que tu l'écoutes et que tu y répondras exactement comme il faudra. Quand je doute, Seigneur, aide-moi à me rappeler que tu es toujours présent.

287 Saint-Esprit, inspire-nous
quand nous nous mettons à genoux.
Approche-toi et montre-nous
ce que nous devons dire.

Esprit Saint, aide-nous
chaque jour par ta force
à vaincre le mal
et à choisir le bien.

288 Père, écoute notre prière;
nous ne voulons ni repos, ni bien-être,
mais la force dont nous avons besoin
pour une vie de témoin.

Sois notre force aux heures d'abattement,
notre guide aux heures d'égarement.
Père tendre et fort, reste à nos côtés
dans l'effort, l'échec et le danger.

289 La prière fait briller l'armure du chrétien;
Et le diable tremble, quand il voit à genoux
le plus faible des chrétiens.

290 Merci, Jésus, de nous avoir appris à prier:
Notre Père qui es aux cieux!
que ton nom soit sanctifié;
que ton règne vienne;
que ta volonté soit faite sur la terre
comme au ciel.
Donne-nous aujourd'hui notre pain quotidien;
pardonne-nous nos fautes,
comme, nous aussi, nous pardonnons
à ceux qui nous ont fait du mal.
Ne nous laisse pas tomber dans la tentation,
mais délivre nous du mal.
Car c'est à toi qu'appartiennent,
dans tous les siècles,
le règne, la puissance et la gloire.
Amen!

Merci, Seigneur

Rendez-lui grâces et bénissez son nom.
Psaume 100.4

291 Ainsi donc, remercions tous notre Dieu
Avec nos coeurs, avec nos mains, avec nos voix,
Lui qui a fait un monde merveilleux,
Et en qui les humains trouvent leur joie.

292 Merci, Seigneur, parce que tu nous aimes tous et que tu prends soin de nous tous. Merci, parce que nous pouvons toujours te louer. Merci parce que tu es toujours là quand nous avons besoin de toi et parce que tu écoutes toujours nos prières. Merci parce que tu nous aides dans nos difficultés et parce que tu ne t'éloignes jamais de nous.

293 Merci, ô Dieu, pour la paix et le bonheur, la santé et la joie.
Merci, ô Dieu, pour la vie, les plantes et les animaux.
Merci, ô Dieu, pour l'amour.
Amen

294 Toi qui m'as déjà tant donné,
donne-moi une chose encore: un coeur
reconnaissant,
au nom de Jésus.

295 Père,
pardonne-nous quand nous oublions de te remercier.
Nous te demandons tant de choses, en comptant
bien à chaque fois que tu répondras à toutes nos
demandes...
Pardonne notre égoïsme, Seigneur.
Apprends-nous à être, chaque jour, plus
reconnaissants, envers toi et envers les autres.
Amen

296 Seigneur,
merci d'avoir envoyé ton Fils unique mourir pour
nous. Merci pour tous les gens si différents que tu as
créés; merci surtout pour ma famille et pour mes
amis. Amen

297 Merci pour tout, Seigneur!
qu'est-ce qu'on deviendrait sans toi?

298 Père,
merci de m'avoir fait et d'avoir pardonné mes péchés.
Je voudrais que tu m'aides à changer ce qui ne va pas
en moi.
Merci pour ton amour.
Amen

299 Seigneur Dieu, merci pour la nourriture.
Merci de prendre soin de nous quand nous n'avons
pas le moral. Merci pour les moments passés à te
louer.
Amen

300 Notre Seigneur Jésus-Christ, sois loué
pour tous les bienfaits que tu nous as accordés, pour
toutes les souffrances et les outrages que tu as subis
pour nous. O Sauveur, notre ami, notre frère, nous
voulons te connaître plus intimement, t'aimer plus
tendrement, te suivre plus fidèlement, de jour en jour.

Loué soit le Seigneur!

"Mon coeur te chantera, je ne resterai pas muet.
Seigneur, mon Dieu, je te louerai toujours!"
Psaume 30.12

301 D'un coeur joyeux, louons
le Seigneur, car il est bon!
Il nous accorde avec fidélité
Ses innombrables bienfaits.

302 Te louer, Seigneur, c'est chanter tout le bien que tu
fais; c'est dire que tu es grand et merveilleux. Quand
je chante tes louanges, je te dis que je t'aime.
Seigneur, apprends-moi à te louer.

303 Que tout ce qui est vrai,
tout ce qui est honorable,
tout ce qui est juste,
tout ce qui est pur,
tout ce qui est aimable,
tout ce qui mérite l'approbation,
ce qui est vertueux
et digne de louange,
soit l'objet de nos pensées.
Amen

304 Louez le Seigneur!
Adorez-le, anges de Dieu dans les hauts lieux!
Soleil et lune, réjouissez-vous devant lui,
louez-le, astres du jour et de la nuit.

305 Quand je te loue, Seigneur, je sens en moi
comme une grande chaleur, comme si mon coeur
débordait. Merci de pouvoir te louer!

306 Merci mon Dieu d'avoir fait
Un monde d'une telle beauté:
Tant d'éclat et de splendeur,
De lumière et de bonheur.
Tant d'oeuvres glorieuses
Nobles et généreuses!

Merci aussi d'avoir fait
Abonder des joies sans ombre;
La terre entière est comblée
De tant de paix et de bonté
Qu'il n'est de recoin si sombre
Que l'amour ne puisse éclairer.

Pardon, Seigneur

Jésus dit: "Père, pardonne-leur car ils ne savent pas ce qu'ils font."
Luc 23.34

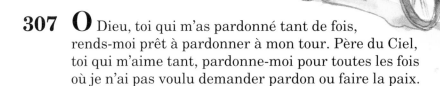

307 O Dieu, toi qui m'as pardonné tant de fois, rends-moi prêt à pardonner à mon tour. Père du Ciel, toi qui m'aime tant, pardonne-moi pour toutes les fois où je n'ai pas voulu demander pardon ou faire la paix.

308 Je viens d'entendre des choses horribles à la télé: des gens ont été tués par une explosion au moment où ils priaient.
Oh! pourquoi Seigneur?
On pense que c'était de ces terroristes qui n'aiment rien ni personne, et qui n'ont que de la haine et de la colère dans leur coeur. Comment peut-on pardonner à des hommes pareils?
Pourtant, Seigneur, toi tu as pardonné à ceux qui te clouaient sur la croix.
Apprends-nous, et aide-nous à pardonner toujours plus.
Pour l'amour de ton nom.
Amen

309 Seigneur Jésus, je viens te dire tout ce que j'ai fait de mal aujourd'hui. Je suis triste d'avoir fait tout cela. Je t'en prie, fais disparaître ce mal comme si c'était une tache de coca sur mon T-shirt blanc. Je regrette vraiment, tu sais, et je veux essayer de réparer en étant serviable et en disant bien: "s'il te plaît" et "merci".
Amen

310 Pardonne-moi, Seigneur,
le mal que j'ai fait aujourd'hui.
Qu'avant la tombée de la nuit,
je puisse être en paix avec le
monde,
avec toi et avec moi-même,
Seigneur.

311 Aujourd'hui, Seigneur,
je suis triste.
J'ai eu une mauvaise journée.
J'ai fait plusieurs bêtises.
Je t'en prie, efface tout le mal que
j'ai dit, fait et pensé.
Merci parce que, dans la Bible,
tu as promis de pardonner; alors
je sais que tu me pardonneras
aussi.
S'il te plaît, aide-moi
pour que la journée de demain
soit meilleure.

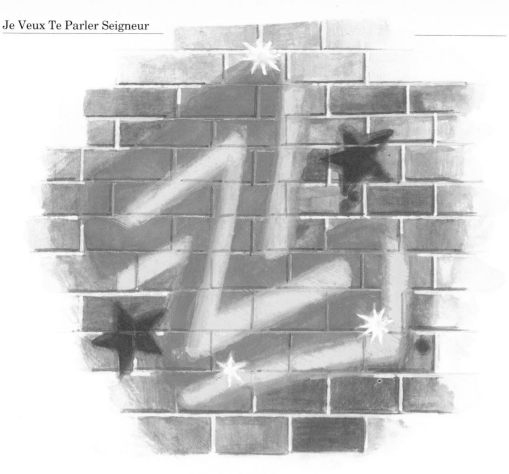

312 Seigneur Jésus,
pardonne-moi quand je fais le mal. Par exemple,
quand on me parle gentiment et que je réponds
impoliment.
Pardonne-moi quand je te désobéis.
Je veux essayer de te ressembler.

313 Père, tu vois, c'est difficile de pardonner à ceux qui
nous ont fait du mal - à nous, ou à nos amis. Nous
aurions plutôt envie de leur faire du mal à notre tour;
et c'est ce que nous faisons parfois... Mais tu nous as
dit que nous devions aimer nos ennemis, quoi qu'ils
aient fait. Pardonne-nous, Seigneur, quand nous ne
pardonnons pas aux autres. Aide-nous à comprendre
pourquoi on nous dit et on nous fait du mal, et
remplis nous d'amour pour ceux qui ne nous aiment
pas. Amen

314 Tout ce à quoi nous aurions dû penser et à quoi nous n'avons pas pensé, tout ce que nous aurions dû dire, et que nous n'avons pas dit, tout ce que nous aurions dû faire, et que nous n'avons pas fait,
tout ce que nous n'aurions pas dû dire, et que nous avons dit, tout ce que nous n'aurions pas dû faire, et que nous avons fait...
O Dieu, pour toutes ces pensées, pour toutes ces paroles, pour toutes ces actions, nous te demandons pardon.

315 Seigneur,
s'il te plaît, pardonne tout ce que j'ai fait de mal - je le regrette vraiment.

Enseigne-nous, Seigneur

Parle, Seigneur, ton serviteur écoute.
1 Samuel 3.10

316   O Seigneur, nous t'en supplions, guide-nous, enseigne-nous et fortifie-nous jusqu'à ce que nous devenions tels que tu le désires: purs, bienveillants, vrais, bons, généreux, capables, soumis et utiles; pour ton honneur et pour ta gloire.

317   Apprends-nous, Seigneur, à te servir comme tu le mérites;
à donner avec générosité;
à combattre pour ta cause sans relâche;
à travailler comme tu le désires en sachant que nous accomplissons ta volonté.

318   Apprends-moi, mon Dieu, mon Roi
à te voir en toutes choses
pour agir en toutes choses
comme si c'était pour toi.

319 Père saint et bienveillant,
accorde-nous une sagesse qui sache te discerner,
une intelligence qui sache te comprendre,
un zèle qui sache te chercher,
une patience qui sache t'attendre,
des yeux qui sachent te contempler,
un coeur qui sache méditer sur toi,
et une vie qui sache te proclamer;
par la puissance de l'Esprit
de Jésus-Christ, notre Seigneur.

320 Seigneur, apprends-moi chaque jour,
A t'obéir avec amour.
Mais pourrais-je jamais résister
A celui qui m'a aimé le premier?

Apprends-moi à reconnaître
Que tu es désormais, seul, mon maître:
Apprends-moi à te ressembler,
O toi qui m'as aimé le premier.

Apprends-moi à suivre tes traces,
A marcher fidèlement par ta grâce
Apprends-moi enfin à aimer,
Comme toi, qui m'as aimé le premier.

Merci Seigneur pour ce repas

Pendant qu'ils mangeaient, Jésus prit du pain, et après avoir rendu grâces, il le rompit.
Matthieu 26.26

321 **B**énis ce que nous mangeons,
Bénis ce que nous buvons,
Seigneur, pour tous tes dons,
Nous te remercions.

322 **D**ieu est grand,
Dieu est bon,
Remercions-le pour ses bienfaits.

323 **S**eigneur, sois présent à notre table
Et que ton nom soit partout adoré.
Merci pour tes nombreux bienfaits,
Qu'ils nous fortifient pour ton service.

324 Pour ton amour,
Pour tes bienfaits,
Pour ta présence,
Merci, Seigneur.
Pour ce que nous mangeons,
Pour ce que nous buvons,
Pour tous tes dons,
Merci, Seigneur, au nom de Jésus.
Amen

325 Pour ce repas,
Pour toute joie,
Nous te louons Seigneur.
Amen

326 Bénis-nous, Seigneur, et bénis ces
bienfaits
que dans ta bonté tu nous accordes.
Par Christ, notre Seigneur.
Amen

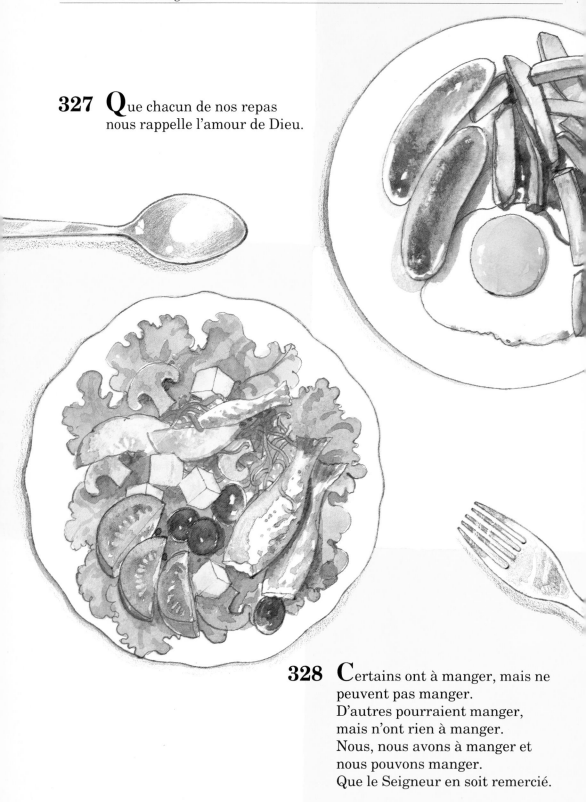

327 Que chacun de nos repas
nous rappelle l'amour de Dieu.

328 Certains ont à manger, mais ne
peuvent pas manger.
D'autres pourraient manger,
mais n'ont rien à manger.
Nous, nous avons à manger et
nous pouvons manger.
Que le Seigneur en soit remercié.

329 Ce pain, tu nous le donnes,
Nos péchés, tu pardonnes,
Nos coeurs reconnaissants
Te louent Dieu tout-puissant.

330 Bénis-moi, ô Seigneur,
et que ces aliments
me fortifient pour ton service;
au nom du Christ.

Occasions Spéciales

Bon anniversaire!

Enseigne-nous à bien compter nos jours
afin que nous appliquions notre coeur à la sagesse.
Psaume 90.12

331 Père,
aujourd'hui, c'est mon anniversaire. S'il te plaît,
permets que ce soit une belle journée pour moi et
pour tous les autres enfants qui ont aussi leur
anniversaire aujourd'hui.
Amen

332 Seigneur,
j'aime tous les anniversaires, même si ce n'est pas le
mien, parce que ces jours-là, tout le monde est
heureux et que j'aime bien faire des cadeaux.

333 Pour les fêtes et les invités,
merci Seigneur;
pour les cartes et les cadeaux,
merci Seigneur;
pour les chants et les jeux,
merci Seigneur;
pour les bougies et les gâteaux,
merci Seigneur.

334 Merci, ô Dieu, pour mon anniversaire. Mais je ne
veux pas oublier ceux qui ne savent même pas la date
de leur anniversaire et qui ne reçoivent jamais de
cadeaux.
Amen

335 Notre Père, nous te remercions pour le plus merveilleux de tous les anniversaires: celui de Jésus-Christ.
Nous te remercions aussi pour nos anniversaires à nous; Jésus est venu apporter la paix et la joie dans le monde; alors, nous aussi, nous voulons essayer d'apporter de la joie dans la vie des autres.
En son nom.

336 Père,
tu nous aimes tous les jours quel que soit notre âge. Merci parce que tu te souviens de tous ceux qu'on oublie, jeunes ou vieux. Aide-moi à ne pas oublier mes amis et mes proches.

C'est dimanche

Souviens-toi du jour du repos pour le sanctifier.
Exode 20.8

337 O Dieu, le dimanche devrait être un jour différent des autres. Aide-moi à le rendre vraiment différent. Apprends-moi à penser plus particulièrement à toi ce jour-là. Apprends-moi à t'adorer avec tout ton peuple. Aide-moi à trouver du temps pour être seul et pour te contempler, en contemplant la beauté du monde que tu as créé, en lisant la Bible, ta Parole, et en te louant. C'est ta journée, aide-moi à me souvenir de toi. Je te le demande au nom de Jésus.
Amen

338 Merci, Seigneur, pour l'Eglise, et ce que nous y apprenons de toi. Merci aussi pour ceux qui nous instruisent, pour nos amis, à l'Eglise, et pour la joie que nous avons à te prier et à te louer ensemble.
Amen

339 Seigneur,
merci pour le dimanche:
ce jour-là, je peux rester au lit plus longtemps sans avoir peur d'arriver en retard à l'école; après, je vais à l'Eglise pour chanter tes louanges, et quand je reviens à la maison il y a souvent un très bon repas.
Merci pour ce beau jour.
Amen

340 O Dieu, aide-moi à ne pas oublier que le dimanche est le jour du Seigneur et que si on l'a appelé comme ça, c'est parce que c'est ce jour-là que Jésus est ressuscité des morts.

341 Dieu, notre Père,
merci d'avoir fait du dimanche un jour de repos.
Merci pour cette journée que nous pouvons passer en famille ou avec des amis. Mais ne nous laisse pas oublier que le dimanche peut être un jour bien triste et bien solitaire pour ceux qui n'ont pas de famille. Apprends-nous à passer parfois ce jour, qui est le tien, avec ceux qui ont besoin de notre amour et de notre présence.
Amen

Reconnaissance

"Tu célébreras la Fête des Moissons avec les premiers fruits de ton travail,
de ce que tu auras semé dans les champs."
Exode 23.16

342 Merci Seigneur, d'avoir donné la vie à toute la création. Merci pour le soleil, la pluie et la terre; parce que c'est grâce à eux que le blé pousse et que nous pouvons avoir notre pain de chaque jour.

343 Merci Seigneur,
pour tous les produits de la terre:
le blé, les légumes, les fruits et les fleurs.
Merci, pour tous les produits du sol: le pétrole, le charbon, le sel et l'eau.
Merci, pour tous les produits de la mer:
les poissons et toutes les créatures marines.
Merci, pour tous ceux qui nous donnent ce dont nous avons besoin: les agriculteurs, les pêcheurs et les ouvriers.
Rappelle-nous, Seigneur, à quel point nous sommes dépendants de toi et à quel point nous sommes aussi dépendants des autres.

344 Seigneur, merci pour les moissons et les récoltes et merci de nous donner tout ce dont nous avons besoin.
Apprends-nous à partager ce que nous avons avec les autres et à nous occuper de ceux qui ont faim.
Aide-nous à ne pas être gourmands, pour qu'il y ait assez à manger pour tout le monde.
Amen

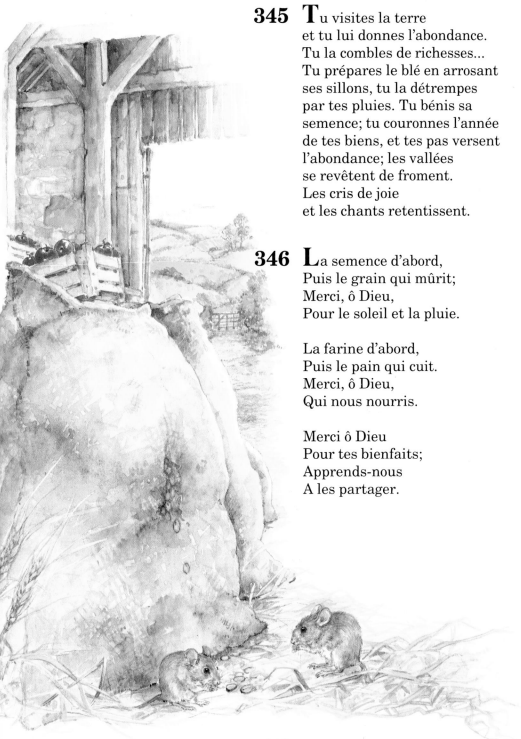

345 **T**u visites la terre
et tu lui donnes l'abondance.
Tu la combles de richesses...
Tu prépares le blé en arrosant
ses sillons, tu la détrempes
par tes pluies. Tu bénis sa
semence; tu couronnes l'année
de tes biens, et tes pas versent
l'abondance; les vallées
se revêtent de froment.
Les cris de joie
et les chants retentissent.

346 **L**a semence d'abord,
Puis le grain qui mûrit;
Merci, ô Dieu,
Pour le soleil et la pluie.

La farine d'abord,
Puis le pain qui cuit.
Merci, ô Dieu,
Qui nous nourris.

Merci ô Dieu
Pour tes bienfaits;
Apprends-nous
A les partager.

L'avent

Des mages d'Orient arrivèrent à Jérusalem et demandèrent: "Où est le roi des Juifs qui vient de naître? Nous avons vu son étoile en Orient, et nous sommes venus pour l'adorer."
Matthieu 2.1-2

Jésus dit: "Je reviendrai et je vous prendrai avec moi,
afin que là où je suis, vous y soyez aussi."
Jean 14.3

347 O Dieu, tu vois, nous sommes en train de préparer Noël: nous achetons des cadeaux, nous préparons le service de Noël à l'Eglise, nous répétons nos chants et nos récitations. Toi aussi, tu as préparé le premier Noël: tu as envoyé les prophètes prévenir ton peuple de l'arrivée de Jésus pour qu'il soit prêt à l'accueillir; tu as donné un bébé à Zacharie et Elisabeth: Jean; tu as choisi Marie pour être la maman de Jésus, et Joseph pour leur donner un foyer à tous les deux; tu as prévenu les mages qui habitaient si loin. Au moment où nous allons, à notre tour, fêter la naissance de Jésus, aide-nous à bien comprendre l'histoire de Noël et prépare-nous à accueillir Jésus dans notre coeur.

348 Père, nous te louons pour la joie de l'attente: pour la joie de commencer chaque matin un jour plein de promesses; pour l'espoir d'atteindre de nouveaux objectifs, à l'école ou ailleurs; pour l'espoir de découvrir de nouveaux amis; pour la joie de découvrir de nouveaux domaines à explorer ou un nouveau travail à accomplir. Nous te louons pour ce temps de l'Avent où notre joie grandit à mesure que Noël approche.

Voici Noël

L'ange leur dit: "Je vous annonce une bonne nouvelle qui sera pour tout le peuple le sujet d'une grande joie: Aujourd'hui, il vous est donné un Sauveur."
Luc 2.10-11

349 O Jésus, je suis si impatient!
Noël est un jour tellement merveilleux -
tout rempli de cadeaux et de surprises!
Mais la plus grande surprise, ça a été toi,
parce que personne ne s'attendait à ce
que tu arrives comme un petit bébé et que
tu naisses dans un endroit aussi
misérable qu'une étable. Mais tu as été le
plus beau cadeau du monde, un cadeau de
Dieu qui nous a apporté la vie éternelle.
Merci d'avoir été la plus grande des
surprises et le plus beau des cadeaux.

350 Que puis-je lui donner
Pauvre comme je suis?
Si j'étais berger,
Je lui donnerais une brebis;
Si j'étais roi mage,
Un trésor, en hommage...
Mais, je n'ai que mon coeur,
Accepte-le, cher Sauveur.

351 Seigneur,
s'il te plaît, tiens-toi auprès de ceux qui n'auront ni cadeaux, ni repas de fête pour Noël. Aide ces pauvres gens comme tu le faisais quand tu étais sur la terre, et permets qu'ils aient quand même un joyeux Noël.

352 Seigneur Jésus,
merci pour les cadeaux, les fêtes et tout ce qui nous rend heureux à Noël. Mais, aide-nous à ne pas oublier que Noël est avant tout le jour où nous célébrons ta naissance.

353 **S**eigneur,
c'est Noël et je suis si content!
Je vais penser beaucoup à toi.
Aide-moi à ne pas être égoïste
mais à partager.
Amen

354 **S**eigneur Dieu,
parfois, Noël devient un vrai cauchemar - par
exemple quand nos parents s'énervent à cause de
toute l'agitation qu'il y a dans la maison. Je t'en prie,
permets que cette année, nous fêtions Noël comme il
doit être fêté: dans la paix.

355 Voici Noël, ô douce nuit!
L'étoile est là qui nous conduit...
Allons donc avec les mages
Porter à Jésus nos hommages,
Car l'enfant nous est né
Le Fils nous est donné.

356 On se presse, on se pousse dans la ville agitée; on
crie et on se bouscule; les lumières éblouissent et la
musique hurle. Tout n'est que course, bruit et
tumulte.
Mais... qui s'arrête pour se demander pourquoi?
Qui se souvient de toi,
Jésus?

357 Seigneur Jésus, à Noël, nous sommes heureux de
retrouver tous ceux que nous aimons. Mais beaucoup
sont seuls ou se sentent oubliés, et beaucoup
souffrent parce qu'ils ont perdu quelqu'un qu'ils
aimaient; et au moment de Noël, ils sont, tous, plus
tristes que jamais. Nous te demandons de les garder,
de leur faire du bien et de les consoler afin qu'ils
apprennent à te connaître, toi qui les aime tant.
Au nom de Jésus.
Amen

358 Notre Père du Ciel,
merci pour Noël.
Merci pour les cadeaux.
S'il te plaît, aide-nous à te louer
et à lire ta Parole un peu plus chaque jour.
Amen

Carême - La Tentation

Jésus leur dit: "Veillez et priez afin que vous ne tombiez pas dans la tentation."
Matthieu 26.41

359 Ce matin, la voiture est tombée en panne. On
n'avait pas mangé et je mourais de faim. Alors, j'ai
pensé à toi, Seigneur, quand tu n'as pas mangé
pendant quarante jours, dans le désert. Tu priais
sans cesse, et Dieu le Père t'a rempli d'une autre force
que les forces physiques: celle de résister contre le
mal. Donne-moi cette force de lutter contre les
tentations.
Amen

360 Seigneur Jésus-Christ,
tu sais ce que c'est que d'être tenté
car tu as été tenté dans le désert;
tu sais à quel point c'est facile de faire le mal
et bien plus difficile de faire le bien;
tu sais aussi ce que c'est que d'être déçu,
incompris,
abandonné de ses amis,
d'être traité avec cruauté et mis à mort.
Pourtant tu as su pardonner à ceux qui te faisaient
du mal. Je t'en prie, aide-nous
à ne pas céder quand nous sommes tentés,
à ne pas être troublés par ce que font les autres.
Pardonne-nous si nous t'avons fait du tort;
aide-nous à pardonner à ceux qui nous font du tort,
et apprends-nous à suivre ton exemple.

Pâques

Jésus dit: "Je suis la résurrection et la vie.
Celui qui croit en moi vivra, quand même il serait mort."
Jean 11.25

361 "Vendredi saint": quel nom étrange, Seigneur.
Il y a en ce jour-là tant de mensonges, de haine et de
douleur... Pourtant, tu as continué malgré tout à
aimer ceux qui mentaient, ceux qui te haïssaient,
ceux qui te faisaient souffrir, et à les aimer d'un
amour si fort que rien n'a pu le vaincre.
Merci, Seigneur.

362 Seigneur Jésus, merci d'être venu nous sauver.
Merci d'avoir pris sur toi la punition de nos péchés
quand tu es mort sur la croix.

363 Seigneur,
merci d'être mort pour nous, et merci de nous aimer,
même quand nous faisons des bêtises. Aide-nous à
toujours revenir à toi, et à mieux t'aimer.
Amen

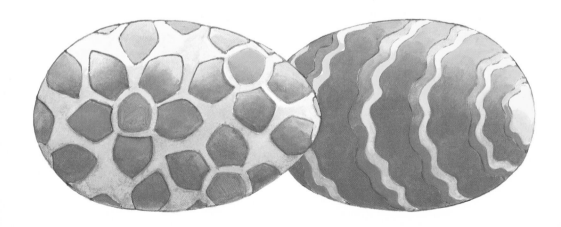

364 Seigneur Jésus,
je te loue d'avoir vaincu la mort et la tombe, et d'être
revenu à la vie, à Pâques.
Je te loue d'être une présence vivante et pas
seulement un souvenir.
Je te remercie de nous avoir promis d'être avec nous
jusqu'à la fin du monde, et même après.

365 O Père, Pâques est vraiment le jour le plus glorieux
de tous: Jésus est ressuscité des morts et a montré au
monde entier que tous ceux qui croiraient en toi
auraient la vie éternelle. Merci, ô Dieu, de nous avoir
témoigné un si grand amour.
Amen

Christ est mort, Christ est ressuscité, Christ revient!

INDEX DES PRIERES

LISTE DES AUTEURS